虐戀情深 第一大手／

雪靈之

文創風 020

愛恨無垠

4/5出版

十四歲那年跟步元敖約定好要一起私奔，他沒出現。
只託娘告訴她，要她等他，這一等就是五年過去。
這期間她為了打聽他的下落，在一次私逃中掉入了寒潭，
最不該的是，害得弟弟也一同落水，兩人患上了同樣的怪病。
神醫說要治好這寒毒唯有找到流著九陽玄血的男人方能得救。
而這世上唯一流著九陽玄血的人……竟然就是步元敖。
他說要他的血可以，條件是要娶她過門。
當她滿懷期待地去找他，卻發現她只是[illegible]他暖床的奴婢，連妾都不如……
哼！當初蔚家背信忘義，甚至追打落水狗般地對他下重手；
如今卻需要他的血來[illegible]蔚[illegible]伺候他，
要是她伺候得他舒服了，他可以給上一碗血。
別怨他狠，當初蔚家對他可是[illegible]
他所受的屈辱折磨他全都要討回來！尤其是蔚藍那女人，
[illegible]有多愛[illegible]如今就有多恨，而這恨就拿折磨她來抵！
偏偏折磨她的同時也折磨著他自己，想要的痛快竟得不到……

[illegible]3/17 [illegible]先讀為快】敬請期待！

風

瘋文創

出色新裝登場

好看就熱血 狗屋最IN 宅不宅都HIGH!!

花蝶系列 1512

不做你的乖乖

【作者】莫妮卡

狗屋

Doghouse的由來

有一句俚語：

金屋（窩）銀屋不如你的**狗屋**

其實整句話就是做你自己的意思

別人的標準不一定適合自己

狗屋再雜再亂也是自己的Style

其實**狗屋**文化就是每個人的人生寫照

興趣如瞳孔放大不用時時集中

目標常常想向人生高處晉昇

偶爾也興致勃勃向人生低處探險

求知和放鬆想同時發生

狗屋不是一個好笑的名字

狗屋是一種精神和理想

我們可以從古文經典中活生生剪下兩個字下來

但與我們的現今生活毫無交集

狗屋出版社

希望每一本書都是從自己出發

接受了自己也就能接納別人

每一個人的靈魂都能祥和與平靜

花蝶系列 1512

不做你的乖乖

狗屋出版
定價:新台幣190元
劃撥帳號:19001626
http//:love.doghouse.com.tw
E-mail:love@doghouse.com.tw

著作者……莫妮卡
發行所……狗屋出版社有限公司
地址……台北市104中山區龍江路71巷15號1樓
電話……02 27765889~0
發行字號……局版台業字845號
法律顧問……蕭雄淋律師
總經銷……知遠文化事業有限公司
電話……02 26648800
初版……一〇一年三月
國際書碼……ISBN-13 978~986~240~784~4

歡迎各路人馬踴躍投稿！

無論妳是身經百戰的沙場老將，想要重起爐灶；

又或是陷入進退兩難的僵局，想另闢新戰場；

又或是純粹想尋找另一片全新的舞台，

盡情揮灑妳的夢想，

只要妳能寫出動人美麗的愛情故事，

狗屋/果樹的大門，永遠歡迎妳！！

投稿圓夢任意門：
104台北市龍江路71巷15號
狗屋/果樹出版社 收發處

投稿圓夢注意事項：

* 字數限制：9萬～11萬字〈算法為行數×字數×總頁數。以Word為範例，則每頁可設定32行*35字=1120字，字體級數設定12級，80頁～98頁皆達字數標準。〉
* 投稿格式：電腦列印或手寫稿均可。不接受磁片和 e-mail 投稿。
* 回覆時間：自本社收到稿件日起算約四週內。若為**言情界資深寫手**請先致電本社圓夢熱線02-27765889#222呂主編，本社可另以特殊專案處理。
* 請自留底稿。如不採用，恕不退件。需退稿者請自附回郵。
* 想知道更多投稿細節，請上狗屋網站首頁 love.doghouse.com.tw 或點選下列網址了解更多詳情：http://love.doghouse.com.tw/contact/feedback.asp#hi1。

花蝶系列1515

新書預告

姑娘辣翻天

【作者】淘淘

俗話說：男怕入錯行，女怕嫁錯郎，會不會嫁錯她不曉得，
但入錯行倒是十分肯定，師父交代的事，她總陰錯陽差辦成，
做事不太牢靠，可她也實在無法，誰教她就是沒什麼才能，
比起其他師兄姊弟，她只有見機行事、善觀臉色強了點，
好在這次師父只要她去當護衛，保護大戶人家的小姐，
如此涼差正合她意，但這半路殺出來的捕頭樊沐云好麻煩啊，
他渾身正氣凜然，性子剛毅，路見不平必定拔刀相助；
他倆應是陽關道與獨木橋，八竿子打不著，偏他特別盯著她，
活像她多會惹麻煩，真是大人冤枉～～她只是奉命行事，
誰知事又生事，他們不得不兜在一起，也不是她的錯啊……

狗屋出版
定價：新台幣190元
總經銷◎知遠文化事業有限公司

花蝶系列1516

新　書　預　告

遇上愛②

融化冰山小姐

【作者】花茜茜

兩年前，一場空難意外粉碎任筱綠的幸福美夢，
她原就沈靜的性子變得更加冷然，直到遇見了他……
迷了路車子又在產業道路拋錨的她，多虧他伸出援手；
當她因遺失未婚夫送的戒指而焦急，他緊張地勞師動眾幫她找，
那毫不保留的付出，讓她空寂冷漠的心漸漸感到溫暖……
初見任筱綠，韓永在覺得她像極了他栽種的百合花，
清冷聖潔的氣質深深吸引他，從此她的身影在他心中扎了根。
無意間發現她的傷心過往，才明白她為何總是神色落寞，
心疼不捨的感覺如此強烈，多想為她撫平所有傷痛，
只希望她能找回愛的勇氣，讓他以男友身分照顧她……

狗屋出版
定價：新台幣190元
總經銷◎知遠文化事業有限公司
電話：02-2776-5889　網址：love.doghouse.com.tw

新書預告

情謎三部曲③

絕代有佳人

【作者】齊晏

西越國大將軍宮平櫻有個傾國傾城的妻子，甚受他寵愛，
不料，國君在宮宴上見到後驚為天人，從此日思夜想，
國君暗中派人試探他願不願將妻子獻上，被他嚴詞拒絕，
此舉引來殺身之禍，逼得一片忠心的他不得不起兵反叛，
對戰中，他受了重傷，被人救至南周國五鳳君府中，
在療傷期間，五鳳君安排一名女子橘娘前來照顧他，
她的容貌雖然遠遠不及他的妻子美麗，左腿還不良於行，
但，她卻帶給他平靜溫馨的感受，撫去了他的仇恨之火，
然而失去仇恨心的他不易控制，五鳳君便將她給送走，
失去她教他徹底瘋狂，想把所有背叛他的人全拖進地獄！

狗屋出版
定價：新台幣190元
總經銷◎知遠文化事業有限公司

魔鬼的渴望

作者◎**伊莉莎白・荷特 Elizabeth Hoyt**
譯者◎**林秀徽**

To Desire A Devil

經過七年生不如死的俘虜生活，桑雷諾發著高燒、癲狂地闖進祖屋，要求他應有的權利。這個瘋狂的人真是大家以為早已遭印地安人殺害的繼承人？柯蓓綺是現任伯爵的外甥女，也是高貴的英國淑女。然而她有個秘密：真實的男人都無法如那幅畫像中的英俊男子令她怦然心動。但他突然活生生地出現在眼前，且企圖誘惑她上床。唯有蓓綺可以看穿雷諾殘酷野蠻的外表，直視其高貴的內在。而雷諾也深受這位美麗女子吸引，只是她對姨丈的忠誠仍令他放心不下。她能否馴服一個不計代價要奪回繼承權的男人——即使必須犧牲她的純真？

《紐約時報》暢銷排行榜作者
每一本都是荒島必備書！～AAR網站
五星級的歷史佳作～咖啡時間羅曼史網站

獵物

作者◎**琳達・霍華 Linda Howard**
譯者◎**路西雅**

Prey

裴安琪光想到康達翰便覺得腦袋發燒。這傢伙搬回他們蒙大拿州的荒野小鎮，成立了狩獵嚮導公司跟她打對台，如假包換地毀了她的生計。如今安琪必須賣掉她的生意，並在艱困的時期帶領客戶入山獵熊，方能力求生存。安琪不喜歡熊，不，她根本是害怕牠們。牠們就跟康達翰一樣，是作惡夢的素材。康達翰並不知他踩到了裴安琪的地雷。然而，當一位共同的友人請他關照安琪以及她所帶領的有點怪異的客戶，達翰立刻把握住這個機會接近她。但是當他們進入荒野，面對兩條腿及四條腿的獵人時，他們必須運用所有的技巧才能逃出似乎要置兩人於死地的困境。

浪漫懸疑的超級佳作～《羅曼史讀者》
為喜愛冒險、驚喜與幽默的讀者量身訂做
《紐約時報》暢銷排行榜名家

果樹出版社　台北市104龍江路71巷15號　郵撥帳號：19341370
101年03月出版　電話：(02)2776-5889　傳真：(02)2771-2568　網址：love.doghouse.com.tw

為流浪貓狗加油

和貓寶貝 狗寶貝
廝守終生(一定要終生喔！)的幸福機會

對人來說，貓寶貝狗寶貝只是生活的一部分，但妳(你)對牠們來說，卻是生活的全部，領養前請一定要考慮清楚——

▲給Mimi一個家

性　　別：女生
品　　種：米克斯
年　　紀：五至六個月
個　　性：活潑、親人、愛玩
健康狀況：已注射八合一疫苗三劑及狂犬病預防針，完成體內外驅蟲，犬瘟、腸炎檢測皆為陰性。
目前住所：台北市大安區

本期資料來源：http://www.meetpets.org.tw/content/18577

第186期推薦寵物情人

『Mimi』的故事：

大大的眼睛，一臉無辜，才出生沒多久的Mimi，在去年年底被抓進收容所，又瘦又小的牠還只是個孩子就沒了媽媽照顧，在收容所的存活率也極為渺茫，中途馬麻於心不忍，將Mimi帶離收容所，遠離那煉獄般水深火熱的生活。

可能是太早離開狗媽媽，剛到中途家中時，Mimi非常虛弱，一會兒發燒流鼻涕，一會兒又食慾不振，把中途馬麻搞得手忙腳亂，三天兩頭就往醫院跑，幸好在接受治療後，所有病痛都一一痊癒了，現在小Mimi可是頭好壯壯，非常健康唷～～

Mimi是隻棕色的米克斯，個性活潑好動，與人的互動十分良好，親人又討喜，和一般幼犬一樣愛吃愛玩的牠，已經學會在報紙上如廁，甚至還會坐下握手，是不是很聰明呢？中途馬麻偷偷透露，Mimi實在是無法抗拒食物的誘惑，只要拿出食物來，牠一切都好商量啦！

你願意給Mimi一個家嗎？讓牠無須擔心是否還會再流浪街頭，成為牠足以遮蔽風雨的一方天地，給牠最溫暖的愛。如果你願意成為Mimi最忠實的家人，請來信至starhugo@iyw.tw，並於標題註明「認養Mimi」，謝謝～～

認養資格：

1. 認養者須年滿20歲，有穩定收入，並獲得家人與同住室友的同意。
2. 須簽署愛心認養協議書，並同意送養人日後之追蹤探訪。
3. 須同意於狗狗八個月時帶去結紮。
4. 認養人須負擔晶片轉移費用100元。
5. 認養狗狗請帶紙箱或外出籠，方便將狗狗攜出。

來信請說明：

a. 個人基本資料：姓名、性別、年齡、家庭狀況、職業與經濟來源等。
b. 想認養「Mimi」的理由。
c. 過去養寵物的經驗，及簡介一下您的飼養環境。
d. 若未來有當兵、結婚、懷孕、畢業、出國或搬家等計劃，將如何安置「Mimi」？

楔子

曾經有段感情，對夏琦影響很深。

那是青春洋溢的大學時期，她戀上才華洋溢的吉他社學長，那段感情刻骨銘心，教年輕的夏琦願意央求身為「輝基」建設老闆的父親夏新龍幫忙出資，只為成全迷人學長的留學夢。

夏新龍向來寵愛小女兒，知道小女兒鍾情這男孩，留學學費全出不說，包吃包住還包每年回台灣兩次的機票錢，讓學長全無後顧之憂，等到學成歸國，學歷美人一手包，下半輩子不用愁。

當時，夏琦姊姊夏嘉的未婚夫是織品業小開，她看多了一些陌生女孩對未婚夫投懷送抱，力勸夏琦跟著出國，就近看著學長防範未然。夏琦才不聽，她的學長最疼愛她，對她許下誓言，說學成歸國後第一件事就是娶她，就算有人投懷送抱，學

長一定也不會多看一眼。

更何況，她早就立下志願，要在台灣開家飾品店，從小她就鍾情於漂亮的小首飾，不一定要昂貴高級的寶石，她更喜歡有特色且具設計師個人風格的飾品。

所以夏琦從沒想過要跟學長雙飛出國，她想留在台灣為開飾品店鋪路，等學長回國，他們就可以在一起一輩子。她很放心、非常放心，放心到學長真的在國外劈腿後還沒察覺，放心到學長用她家出的錢買禮物送給第三者也沒發現，放心到第三者住進她家付錢租的高級公寓也不知道……

後來，學長在電話裡對她坦承那女孩懷孕了，他想留在國外找工作，跟那女孩結婚，不回來了。

夏琦被傷得很重，有好一陣子，她頹廢在家，每天都彷彿能聽見自己心碎的聲音。她剪去學長最愛的長髮，每天發懶，不是睡覺就是上網，有天，在網路上看到同是失戀人的網友文章，內容提及曾經閱讀聶魯達的情詩，藉此療傷，她如法炮製，每天都閱讀聶魯達的情詩，讀得心沈心悸，但也為裡面濃濃的愛與迷亂感動。

聶魯達的情詩讓她不因為跌倒而放棄愛人，相反的，她靠著情詩裡豐沛的愛情而重新相信愛情，她確信自己只是找錯了人，有一天，她也會遇見那個對的人……

二十五歲那年，她愛上室內設計師任冬柏，而會愛上任冬柏，是從一篇專欄文章開始的。

夏琦的父親身家雄厚，在各地皆有置產不說，光是居住的豪宅就佔地極廣，裝潢富麗堂皇，氣派奢華。

夏新龍的書房裡，不只有各個建案的設計圖，還有一大面書牆，收藏跟建築、商業行銷有關的書，以及一排建築月刊。夏琦小時候會賴在父親的書房翻看那些她看不懂的書，長大之後，去父親書房的時間漸次減少了，直到某個盛暑，開始著手準備開店事宜的她，踏進了父親的書房，想找些設計資料。

她隨意翻閱建築月刊，正覺得內容沒用而要放下之時，卻被下一頁的一小行字給吸引了目光。

建築不過是建造一個牢籠，真正的內涵在室內設計？

她被這標題吸引，讀了下去，原來這是一個介紹新進室內設計師的專欄，那期訪問的設計師是任冬柏，上面那句不怕得罪建商的言論，正是出自他。

從小夏琦一直覺得父親的職業很偉大，夏新龍總說，「輝基」建設的每個建案都是當代鉅作，他們負責建造最堅固的房子，佐以華貴品味，每個嘔心瀝血的建案

都是一件藝術品。

可這個任冬柏卻說父親口中的藝術品只是牢籠？

任冬柏在文章裡說，現代許多建商主張華而不實的設計，將大樓大廳做得富麗堂皇，擴大公設面積，其實只是在建造一座華麗的動物園，而人居住的地方，仍然沒有進步，隔間老派不夠人性化，正是簡陋的牢籠。

這男人說話真囂張！

他的言論讓夏琦骨子裡不服的血液沸騰，她火速打電話預約這位任大設計師，請他來詳談設計她正在籌備的店面，她倒要看看他有什麼能耐！

第一次見面，她在門口等著任冬柏，他的休旅車停在她面前，然後他下車，高大的身形讓他看起來意氣風發，陽光照射他臉龐，為他深刻的五官印下陰影。

他有一張成熟世故的面容，看起來有點凶，粗獷野性，他的體格蠻橫又充滿戾氣，一頭微亂且濃密的短髮，深邃的內雙眼眸目光炯炯有神，下巴留著一些鬍髭，令他看起來很有個性。

他砰地關上車門，抬眼對上她的眼睛，目光裡充滿自信。

她的唇邊始終掛著有禮的微笑，面對他詢問設計的方向，她只大概說了一下店

面將用來販賣飾品，其他都由他自行發揮。

因為夏琦認為，唯有讓他自由發揮才能看出他的能耐，如果綁手綁腳的要求一堆，只會讓他有很多藉口，她不讓他找理由，給他一片自由的畫布，考驗他。

結果……任冬柏教她臣服。

他的設計出乎她意外，深得她喜愛，她沒跟他說自己喜歡什麼，他卻在第一次平面配置出圖的時候，提及他從她身上的橙味香水，推測她喜歡如同果香般繽紛的可愛風格。

然後這個高大的男人，造出了一個彩色的夢幻世界，讓她找不到挑剔的地方。

一樓的店面牆壁被刷上粉綠色的漆，搭配橘色的紗簾、淺木色地板，入口處鋪上石子小路，讓客人在入店之前先輕巧地走過石子小路，一路伴著緊張期待的心情，走進琳瑯滿目的店裡。

他將擺放女孩飾品的賣場，設計成藏滿珍寶的糖果屋，她衷心喜歡他打造的這方天地，同時，也對他刮目相看。雖然她仍舊不能認同他的牢籠理論，但她看見他的實力，知道他不是空口說大話。

「任先生，我喜歡你的設計。」她看著繽紛的店面，眨了眨眼睛，淺淺微笑。

旁邊，任冬柏也得意的微笑了。

夏琦在這時側過臉，意外撞見他這樣單純的笑臉。

這個粗獷高大的大男人，有著一副純淨的笑容，減去了幹練跟戾氣，讓他看起來如夏日的涼風，親和得沒有殺傷力。

感覺自己的臉蛋彷彿熱起，她雙手遮住臉，果然摸到那熱燙的溫度，她抿了抿唇，還想再說什麼，他卻低下頭，回視她的目光。

他笑著說：「我也很滿意這個設計。」

這話充滿自信，他儼然像個閃亮的發光體，照亮了夏琦心中陰暗的角落，心在顫動，她凝望他的笑容，聽見逐漸紛亂的心跳，喉頭微乾，皮膚像有電流流過一樣，熱麻麻地……

而任冬柏這傢伙，笑得更開了。

夏琦……也淪陷了。

從此，她暗戀著任冬柏，無論是他的設計或他的人，她都是最忠心的粉絲，這份熱情，至今仍未散去。

第一章

今年二十八歲的夏琦經營飾品店「向隅」已經三年了，店裡生意在她的努力下一直很好。

她總漾著甜美可愛的笑容，親切地對待顧客，而且她的眼光獨到精準，挑選的飾品都充滿特色；另外她還突發奇想的請了塔羅牌算命師姜姜每週的一、三、五在店裡免費替客人算運勢，然後幫她們搭配適合的飾品，讓女孩們趨之若鶩。

夏琦對「向隅」的期許不是一般般，她遺傳父親夏新龍做大事的胸襟，開店之初就期許自己將「向隅」導向自有品牌，不只是引進國外優秀品牌，也要自創飾品，站上時尚舞台。

「向隅」位於最熱鬧的街區一角，是一幢獨棟三層樓建築，這棟樓房是夏家的資產，本來承租的服飾店因為不續租，夏琦向父親央來，作為夢想的起步。

對於夏琦的夢想，夏家人不是不支持，只是不鼓勵，自從學長劈腿事件之後，夏家人開始覺得找對象一定要看家世，一般普通人只怕會被錢財迷惑，他們希望夏琦乖乖待在家裡，年紀到了就相親結婚。

夏琦不肯，跟父母大吵了一架，除了店面以外，有骨氣地不靠夏家資助，自己努力打拚，所幸「向隅」生意不錯，讓她一路做到今天。

隨著生意漸佳，代理的品牌系列增多，她有了拓店的打算，但又礙於資金關係無法開分店，只能將店面直向拓展，從一層樓的店面，年年逐增，變成三層樓的賣場。

夏琦短期內的夢想就是找個大些的店面，將「向隅」遷居，不要再讓客人得跑上跑下。

星期一的晚上，店內客人散去，姜姜特別留下來，幫夏琦算一次牌。

夏琦暗戀室內設計師任冬柏對她而言已經不是新聞了，沈醉在單戀裡的她有些傻氣、有點迷信，跟時下女孩一樣，倚賴姜姜的塔羅牌給她的愛情指點，教她怎麼面對任先生。

「琦琦，換妳啦！」姜姜瞇著眼睛，打了個哈欠，盤腿坐在軟墊上，朝整理架

上商品的夏琦招招手。

夏琦聞聲，興沖沖的轉過身，小跳步的來到姜姜的桌邊，眨了眨可愛的圓眼睛，期待的說：「好好好，我們快開始，看我這禮拜的戀愛運好不好？」

姜姜笑看她一眼，纖細的手輕巧的洗起牌，接著，她讓夏琦抽牌。

姜姜在「向隅」替客人免費算牌，買單的全是夏琦，她給的優惠就是每個星期一的晚上，免費替夏琦算一次。

姜姜是夏琦學姊的好友，夏琦透過關係找到她，當初姜姜本來不想接這差事的，她喜歡遊歷各國，不喜歡這種固定的工作，但她沒辦法拒絕夏琦，或者，沒有人捨得拒絕夏琦的。

這女人明明二十八了，還長著一張無害的娃娃臉，留著可愛的齊眉劉海，眼睛又圓又大不說，還有著迷死人不償命的小酒窩，加上她的白皮膚，簡直就像一尊可愛的娃娃。

除了甜美外表，她還有著溫和善良的個性，雖然偶爾帶點千金小姐的嬌氣，但並不討人厭，而且她的嗓音跟她外表一樣甜甜的，也很愛笑，讓人又疼又愛。

「好了嗎？」夏琦眨了眨眼睛，期待地看著桌上姜姜替她排好的牌陣。

「好了，很急响？」姜姜取笑她。

「當然急啊！明天要見任先生呢！」她的臉頰浮起淡淡紅暈。

上次見到任冬柏，是什麼時候？

除了找他設計店面外，她家跟任冬柏的公司很近，休假時，她常在附近一家咖啡店遇見他，他總坐在露天的位置，桌上永遠是一杯咖啡跟筆電，神情緊繃且忙碌，因為他渾身散發出來的生人勿近氣勢，她從不曾上前去打過招呼，只敢偷偷地觀察他。

不同於咖啡店裡大多數悠閒的客人，他目光總專注於螢幕，時時翻動手邊資料，眉頭深鎖，眼神凜冽認真。

夏琦覺得，他好像時時在跟時間賽跑，不像她總是這樣一派輕鬆，店是自己的，賺的錢也自己花，頂多只有去挑貨時會忙一些，其他時候，只要窩在「向隅」這個自己的小天地就好。

她原以為，被傷得那麼重的自己，是很難再相信男人的，可是呀，她卻愛上了充滿才華且迷人的任先生，而且，還是一往情深的單戀，已經持續三年了，任先生都還不知道她偷偷暗戀他呢！

因為前段感情以被劈腿收場，雖然夏琦沒有因此放棄戀愛這件事，卻變得謹慎許多。

她愛任冬柏的才華，愛他對自己作品的自信，愛他做事認真，愛他微笑時粗獷臉龐變得親切的瞬間……可是，她不敢貿然行動，她還要多認識、瞭解任先生一點，或許，她潛意識是想以時間買保險，拉長觀察期，確認任先生不會是學長那樣的人……

有時候，她知道自己有點傻，光是這樣藉由找任先生接室內設計的案子，以及有時以簡訊聯絡藉機詢問一些有關裝潢的問題，就能知道任先生的真心？這方法太可笑了。

但她就是這樣耗著，不知不覺三年過去了，夏琦終於下定決心想突破，藉由這次找任冬柏設計的機會，拉近距離也好、能多瞭解他也罷，總之，她一定要突破，無論結果好或壞，她想做些什麼！

姜姜笑了笑，她也看過夏琦暗戀的任先生，看著夏琦暗戀他多年，疼愛夏琦像疼愛妹妹一樣的姜姜也希望她的戀情能開花結果。

剛好她有朋友在任冬柏任職的公司當助理，知道夏琦喜歡任先生之初，她就先

去問了朋友，得知任冬柏沒有女朋友，也從沒聽過他有任何花邊新聞，除此之外，朋友口中的任先生工作認真沒有設計師的架子，姜姜因此放了心。

姜姜觀察了一下牌面，皺了下眉，語氣有些迷惑。「這是……」

「怎麼了？」夏琦跟著看了看牌面，她看不懂，但很少看見姜姜有這麼認真的表情。

「琦琦，妳信不信我的塔羅牌？」姜姜說。

「啊？」她沒馬上回答，反應不過來。

「我問妳信不信我的塔羅牌？」姜姜又問。

這回她反應過來了，篤定的點了點頭，說：「信呀！姜姜的塔羅牌很準的！不只我信，客人跟網友都說妳很準……怎麼這樣問？」

姜姜沒回答，反而說：「妳以前……是不是什麼都沒意見，每次找任先生設計時，全都聽他的？」

「對呀！」夏琦摸了摸胸口微翹的髮尾。「任先生的設計很棒，我向來沒太多意見。」

「呿！這麼沒個性。」姜姜不屑的撇了撇嘴。「我的塔羅牌顯示要妳跟過往背

道而馳，要轉變成全新的自己，現在正是重整旗鼓的時候！」

「跟過往……」夏琦歪了歪頭。「背道而馳？」那不就正好跟她想突破的想法一樣？

「沒錯！在我看來，以前妳柔順無害，現在就要大轉變，來個凶狠潑辣！」姜姜哈哈笑，說：「開玩笑的，或許，妳可以有多一點意見，不要那麼柔順，任先生對妳才會有比較深的印象。」

夏琦睜大了眼。「有意見？」

她的個性基本上算溫和，可也不是那種什麼都沒意見的溫和，她有自己的想法，不會一味遷就別人，而且自從被學長背叛後，也學會不委屈自己。

好比說，她跟家人力爭，開了「向隅」，不願意只在家裡當備受照顧的小花。

但感情觀上，卻又被學長背叛的事件影響，她變得膽小謹慎，呆呆暗戀任冬柏三年，又因為欣賞任冬柏的才華，所以總容他自由揮灑設計，久而久之，就好像變成一個沒個性又沒主見的夏琦。

「不然咧，還是妳考慮要走性感冶豔風？」姜姜哈哈笑。

夏琦鼓起臉，嘟著唇。「妳看我兒童般的外表，辦得到嗎？」

「妳絕對辦不到！」性感？夏琦？姜姜為自己的提議感到後悔。

「那怎麼辦嘛！要大轉變是嗎？可、可是，任先生的設計真的很棒，我其實沒有什麼意見耶……」夏琦說話的口氣有些無辜。

「那稍稍刁難他一下吧！至少讓他覺得妳有點不一樣，接下來，我們再看下禮拜的塔羅怎麼說，說不定又叫妳變回溫柔無害，那就好笑了！任先生八成會覺得妳有雙重人格，哈哈！」姜姜笑道。

夏琦大嘆氣。「姜姜，妳擾亂我了，怎麼辦呀……」

明天要怎麼面對暗戀的任先生？凶狠潑辣？性感煽情？

她通通做不到呀……

稍稍刁難一下？有意見一點？

唔……她心裡是有個主意，但這算是刁難嗎？

她不確定耶！

✿ ✿ ✿

「當家」室內設計工作室座落於熱鬧的市中心，位於一棟老舊大樓的七樓，擁

有五名室內設計師，每位設計師各有特色，其中資歷最深的設計師小惠姊同時也是「當家」的老闆，而任冬柏則是小惠姊差了二十幾歲的學弟。

任冬柏大學畢業當完兵，經教授引薦進了「當家」，累積實力後，漸漸闖出了名號，四年前才成為「當家」正式聘任的室內設計師，也是公司裡目前最年輕的一位。

三十一歲的他，擁有自己的設計風格與獨到品味，指名要他設計的客戶越來越多，其中最為其他設計師津津樂道的，不外乎夏琦了。

夏琦是出了名的好客戶，找任冬柏設計飾品店「向隅」幾次，什麼意見也沒有，全隨任冬柏揮灑自如，給錢呢，又十分爽快，從不提無理要求，公司裡的人都偷偷叫夏小姐乖乖牌。

此時，同樣也是設計師的阿昆拿著咖啡靠在任冬柏的工作桌旁，他昨晚剛跟助理小米求婚成功，現在心情興奮，完全沒心情上班，一直賴在任冬柏的桌子旁邊東聊西扯的。

「講真的喔，我沒想到可以跟小米求婚成功耶！交往的時候她一直說是不婚族，但我已經三十五歲了，曾經還想說要跟她分手，因為我想要定下來……」阿昆

嘿嘿一笑，又說：「在我口中聽到定下來三個字好像很好笑咰？」

「嗯。」任冬柏頭也沒抬，手握滑鼠看著螢幕。

「但是，年紀到了嘛，也會想要個小孩，擁有自己的家……你不會嗎？」阿昆從沒聽過任冬柏的粉紅新聞，印象中，任冬柏總是忙著工作，一副戀愛絕緣體的樣子。

「不會。」任冬柏打開行事曆，在上面用筆寫了些什麼。

「不會？真的假的？」阿昆滿臉不信。「為什麼啊？」

任冬柏低頭看著行事曆，沒答話。

等不到回答，阿昆不悅道：「你那麼專心是在看什麼啦！」他彎腰靠近任冬柏正在寫的行事曆，這動作總算讓任冬柏正眼看了他。

他移走行事曆，雙手環胸看著阿昆，說：「什麼事？」從剛剛就聽見阿昆在旁邊嘰嘰喳喳的，真煩。

「你沒回答我的問題。」阿昆說。

他眉頭一皺。「因為你的問題很無聊。」

任冬柏站了起來，手依然環著胸膛，氣勢異常駭人。

他身高一八七，長期有健身習慣，擁有一身結實的體魄，男人味十足，他甚至還留了一點鬍渣，為他的魅力添加了一些性格。深邃的眼、高挺的鼻、偏薄的唇，這樣好看的臉龐配上他的體格以及氣質，整個人散發男人味，性格得像動作片男星。

任冬柏一站起來，阿昆頓覺自己矮一截，嗚～～好歹他也有一七五，怎麼在他旁邊顯得小鳥依人，丟臉！

阿昆轉了個話題，順便移了移腳步，讓自己不要靠他那麼近。

「啊你怎麼還不出門去乖乖牌小姐那邊？」公司接案透明，小惠姊分派案子一向平均不偏心，有客人指名也會讓其他設計師知道，不讓其他設計師誤會小惠姊偏袒。

夏琦再找上任冬柏的事情大家都知道了，阿昆記得今天任冬柏就要過去「向隅」一趟才對。

「時間還沒到。」任冬柏冷淡地說。

「都要九點十五了，還不急喔？」他記得到「向隅」開車三十分鐘，找個停車位就算十分鐘，差不多也要花四十分鐘耶。

「我九點四十才要出發。」任冬柏重新坐下，眼睛又轉向螢幕。「我想先看一下方先生的設計圖。」

「九點四十？到那邊都十點二十了耶！夏小姐不是十一點開店嗎？」

「跟她討論設計，四十分鐘以內一定講得完。」任冬柏口氣篤定。

夏琦對他的設計不會有任何意見，為她做過三次設計，她每次都是好好、都可以、當然沒問題，對任冬柏來說，做她的案子，總讓他心情很複雜。

她很寬容的給予他全然的信任，任他揮灑自如，每回的成果，他們雙方都很滿意，可是，有時候，任冬柏遇到一些特別要求很多的客人，努力過後得到的成果，讓他除了滿意以外，還有一種征服的快感。

所以有時候，他會希望夏琦有些意見，他會想知道她心裡真正想要的是什麼，而不要那麼沒要求。

但又有誰會跟錢過不去呢？夏琦每回都指名他來做，從另一方面來想，也是肯定他的設計實力，任冬柏不得不承認，只要這麼一想，就讓他心裡浮現一股莫名的滿足，感謝夏琦的肯定。

「哈哈哈……」阿昆大笑。「畢竟是乖乖牌小姐嘛，我看你隨便設計，都可以

讓錢入袋吧？好羨慕，這麼輕鬆的工作。」

「我不會隨便設計，就算夏小姐沒有意見，我還是會認真做她的案子，不會馬虎。」任冬柏一板一眼的說。

他父母早亡，身為長子的他，下面還有三個妹妹，環境造就他早熟個性以及負責任的態度，做事從不馬虎，苦過來的他，沒有父母庇護，相信所有事要成功只有靠自身努力，沒有僥倖。或許，這也是他成功的原因。

「好啦！我當然知道，開玩笑而已。」阿昆丟下這句話，拿著咖啡又飄到其他同事的位置，繼續亂抬槓。

頓時清靜許多的空間，讓任冬柏的注意力得以重新放回螢幕上，他又花了點時間看過方先生的設計圖後，才起身走出公司，到地下室停車場取車，驅車往夏琦的「向隅」飾品店。

微弱的冬陽透過車窗，映上任冬柏的臉龐，他下意識的瞇了下眼睛，始終盯著窗外車況的他，此刻神情看似放空，其實整個腦袋不斷在轉，忙著回想兼複習前幾次替夏琦做的案子。

第一回，是在「向隅」開幕前，接到夏琦指名設計「向隅」的店面，那時小

惠姊還提醒他，這位夏小姐大有來頭，是「輝基」建設老闆夏新龍的千金，那時任冬柏只算是新進的室內設計師，會指名他來做，不知道是什麼心態，總之要小心一點，以免砸了「當家」的招牌。

任冬柏還記得自己忐忑的赴約，然而，在見到夏琦後，心裡的忐忑頓時煙消雲散。

他不會忘記，身材嬌小纖細的她穿著駝黃色大衣，頂著染過的栗子色娃娃頭，就站在路邊等候他。

她輕輕微笑，像是一束暖暖的溫光，在跟今天一樣微寒的冬日，為他帶來微微暖意。

在大概看過店面空間後，他問她：「不知道夏小姐對如何設計這店面，有什麼看法？」

她偏了偏頭，亮出輕柔微笑。「沒有看法，就依你的想法，想怎麼做就怎麼做吧！」

後來，他認真畫出的設計圖獲得了她的青睞，沒有任何地方要修改，一次就OK，施工後，也是沒有任何問題。

那時任冬柏才相信她口中說的「沒有看法」，接著第二次、第三次她也找上他後，漸漸地任冬柏已經習慣她總是「沒有看法」，放心的做她的案子。

「向隅」是棟狹小的三層樓建築，夏小姐將「向隅」從一層樓擴至兩層樓，生意越做越大，他想起她嬌滴滴的樣子，沒想到做生意也挺有一套。

第一次是設計一樓店面，第二次是將一樓後方的倉庫空間納入改裝，第三次是將二樓也改成賣場，這一次，任冬柏想到夏小姐曾提過要進行三樓的改裝。

任冬柏唇角一勾，身為室內設計師的自尊心讓他從不輕易馬虎做案子，但是，不能否認，做夏小姐的生意還真簡單！

乖乖牌小姐？

他想到她可人的外表，這綽號……挺適合的呀！

✿ ✿ ✿

夏琦提早到了，她站在店門口頻頻看望街角那端，等待任冬柏的到來。

十點二十五分，他還沒到，她緊張的撫了撫微翹的髮尾，再順了順身上的米色牛角釦連帽外套，抿了抿唇瓣上剛搽上的唇膏，神情是掩不住的緊張。

此刻，那輛熟悉的休旅車出現在遠方，不一會兒就駛到她面前。

夏琦聽見自己的心跳啊，跳得那樣激烈，直到他推開車門下了車，昂藏的身軀走到她面前，她仍舊是有那麼一點的呼吸困難。

「夏小姐，好久不見。」

任冬柏端詳一陣子沒見的夏琦，她還是一樣的嬌小可人，白皙透亮的肌膚讓她分外柔美動人，那雙靈活的大眼睛看來一樣無辜，他看著她米色牛角釦連帽外套下穿著原色藍牛仔褲，腳踩藕色平底娃娃鞋，簡單的打扮給人一種明快的感覺。

一股熟悉的芬芳飄入他鼻間，是夏小姐慣用的香水，溫甜的橙香摻上少許茉莉花香，清新又甜蜜，一如她帶給人的感覺。

夏琦抑下顫動的心跳，淺淺一笑。「任先生，好久不見。」

任冬柏站在夏琦旁邊簡直就像大人帶小朋友，他一八七、她一五七，他們之間三十公分的身高差，讓任冬柏看起來更高大，夏琦則分外嬌小。

她帶著他進入店裡，越過賣場跟櫃檯，走到後面的樓梯，拾階而上。

任冬柏跟在她身後，走了一陣後，開口發問。「夏小姐這次是想將三樓也納入店面嗎？」

「嗯，我想把倉庫移到三樓後面，然後二樓全部改成店面，三樓想劃分成三個空間……」正巧爬上三樓，她站定，看著已經清空的樓面。「一部分是倉庫，一部分是賣場，另外還想放幾張小桌子跟鏡子，給VIP顧客挑選飾品。」

「向隅」開店之初，只開放一樓，後來生意不錯，她決定將一樓後半部也推出作店面，之後二樓也改裝成賣場，主要販賣稍微高價的商品，櫃面加鎖以防宵小，也請了一名店員幫忙顧店。

這次，因為準備引入一系列美國年輕設計師飾品，才打算將三樓裝潢成店面，同時，常陪母親逛遍各大名牌專櫃的她，也想弄個VIP室，給常客更舒適的購物空間。

任冬柏不作聲，只是細細看著三樓的空間結構，大致跟一、二樓相去不遠，但這次要把這小小空間切割成三部分，倒是有難度。

更讓他有些訝異的是，這次夏小姐有了一點主見。

「切割成三部分，以這坪數來說，每部分都不會太大喔，不對，應該說都會很小。」他老實的說，其實他一直覺得奇怪，一家飾品店怎麼會一層一層這樣拓展？照理，一般人開店大多會選擇橫向拓展，或者加開分店，垂直拓展的比較少見。

聞言，她亮出大大笑容，點了點頭，說：「我當然知道呀，但是我有自己的理由，暫時沒辦法換更大的店面，我又很貪心的引進了很多設計師的新作品，所以只能這樣嘍！」

她說話時，語調俏皮可愛，讓一直專注聽她講話的任冬柏忽地心漏跳一拍。

他沒注意到這異常的現象，只是蹙著眉，下意識直接問：「什麼理由？」下一秒，又忽覺自己這樣直問好像有點沒禮貌，急忙補上話。「其實夏小姐不用答也沒關係，我只是好奇，不好意思，這是我私人的好奇心。」

她聳聳肩，大方道：「跟你說也沒關係呀，其實這間房子是我爸送我的，他不大贊成我出來開店，說那拋頭露面什麼的，但我自己喜歡，所以我只拿了這間房子，我爸不贊助我資金，我當然就沒辦法隨便換店面開店。」

任冬柏眼露訝異，他以為……夏琦是個嬌生慣養的千金大小姐，開店也只是好玩，或者該說，他覺得她是沒有業績壓力的，現在她這麼說，讓他對她有些改觀。

然後他聽見夏琦又說：「我為自己定下目標，營業額達到某個數字，才有足夠資金開放新的樓面，所以我一開始只開放一樓前半部，後來才一點一點擴展，經過三年，現在終於動用到三樓了。」她輕輕一笑。「接下來再找任先生時，可能就是

可以換大一點店面的時候了。」

任冬柏點了點頭，壓抑心裡對她的驚豔，以公事公辦的口吻道：「那麼夏小姐這次想要什麼樣的風格呢？」沒等她回答，他習慣性的接著問：「跟之前一樣嗎？相信我的眼光？」

平常夏琦會乖乖點頭，伴以溫柔的微笑，回說──麻煩你了。

但這次，他左等右等就是不見她點頭，只是看見她的大眼睛浮現一抹身不由己，好像有些無辜似地。

他揚揚眉，不解地再次開口。「夏小姐？」

夏琦看著他，無辜的眨了眨眼睛，深吸了一口氣後說：「我有些自己的想法。」

「夏小姐……？」他有點反應不過來，乖乖牌夏小姐，說……她有自己的想法？

任冬柏蹙起眉，粗獷的臉龐不禁變得嚴肅起來，一雙鷹眸定定看著她，目光裡情緒複雜，有訝異、有不解、有期待、有那麼一些因為緊張而起的煩躁……

她抿了抿唇，眨了眨眼睛，然後伸出手，指著身後空曠的三樓空間，抓著了主

導地位。「我想過了，我想要一種很特別、很特別的風格。」

「什麼風格？」他口氣有些急切。「夏小姐請說。」

她歪了歪頭，揚起極為甜膩的笑容，口吻溫柔輕鬆。「我想要設計成阿茲特克風。」

啥?!任冬柏呆住了。

這名詞有點耳熟……他皺了皺眉，卻想不太起來。

見他臉露疑惑，夏琦笑得更開了，看來呀，這還真的刁難到他嘍！

他依然緊皺眉頭，抿緊了唇，臉色緊繃。

她再次啟唇。「阿茲特克是中南美洲的文明，任先生沒聽過嗎？」她繼續補充。「其實是我代理了一個美籍墨裔設計師的系列飾品，想把它們放在三樓，所以希望可以用他這個系列的主題阿茲特克文明來做設計。」

任冬柏聽見，蹙著眉點了點頭。「原來是這樣。」

她唇角的笑意更深了些。「那就麻煩任先生嘍！」

他臉色一僵，再次看了看笑得好甜的夏琦，她是認真的嗎？不是開玩笑的？他只聽過公主風、日式風、歐洲古堡風、夏威夷風、古代風……什麼阿茲特克？他沒

頭緒呀！

這個乖乖牌夏小姐，怎麼頭一次要求，就出個亂七八糟的難題？

令他好頭痛！

離開「向隅」後，任冬柏一上車就飛快將車開走，駛離巷口便找了個地方停下來，急切的打開放在車內的筆電，連上網查查什麼是阿茲特克風！

網路的資料讓他稍微安心了些，阿茲特克原來是消失的古文明，有經典圖騰可參考，生活跟老鷹密不可分，甚至還有特殊的金字塔……

但他不禁又想到夏琦的笑容，她啊，笑得這樣甜蜜無害，是不是故意的？挑個冷門的風格來考驗他的實力？

但為什麼第一次、第二次、第三次幫她做設計時她不刁難，這次才開始展露本性？

任冬柏想不明白，忍不住往壞處想，可同時，腦裡又跳出幫夏琦漂白的想法——為什麼要想得那麼複雜？就當夏小姐突然迷上阿茲特克古文明不就好了？

至少，可以肯定的是，乖乖牌小姐要換人做了，這個夏小姐，才不是乖乖牌！

第二章

任冬柏完全沒想到這回夏小姐會給他出難題！

阿茲特克風？

他握著滑鼠，試圖畫出一些想法，一會兒又放下滑鼠，轉而拿起筆，抓來塗鴉用的白紙，在上面塗塗寫寫。

他已經掌握了阿茲特克風的元素，腦裡大概有個很簡單的雛形，想以阿茲特克古文明的野林作為基底風格，呈現身在遠古叢林的感覺。

但該如何下手？

從三樓VIP室開始吧，先把基底的素材決定好，要用原木連貫整間店，還是利用復古磚跟空心磚打造出如同在戶外的風格？

他嘆了口氣，握著筆的手停下，拿了張新的紙，不自覺的開始在紙上繪起人

像。

一張心型的甜美小臉，靈動的大眼睛無辜又楚楚可憐，粉嫩的小嘴總是微笑著，看起來這樣無害……

但這隻可愛的小綿羊，這次卻教他頭痛！

任冬柏凝視白紙上自己畫出的夏琦，她正淺淺笑著，一如每次見面時臉上總掛著的美麗笑容，他看著看著，不自覺扔下筆，一手撐著臉，目光不離的盯著紙上的夏琦。

有時候，他有點不知道怎麼面對這位夏小姐，她沒有要求，付錢豪爽，從不刁難，又總是笑臉迎人……她是不可多得的好客戶，可是，任冬柏總覺得……她好像藏著什麼秘密。

好幾次，他對上她偷覷自己的目光，那眸光裡藏著熱切，然而被他發現後便快速轉開，佯裝無事。

他也曾懷疑她在玩什麼把戲，但卻怎麼也想不出她誠摯笑容下會藏有什麼壞心眼？在他的記憶裡，每次夏琦看見他的設計成果後，眼裡透出的滿意都是那樣毫不做作的，他實在沒辦法去猜想她有什麼壞心思。

直到今天，他才從她口中聽見一些事情，原來她雖然是千金小姐，雖然有個疼她又有錢的父親，但每回的裝潢費都要靠自己賺來，她一層層的開放賣場是不得已的做法。

任冬柏不得不承認，原來夏琦在他心目中因為家裡有錢而花錢不用考慮的印象，瞬間被她今天說的話給漂白了。

他覺得……他跟夏小姐之間，好像距離拉近了些。

至少，他們都得使用有限的金錢，去成就一些事情，去努力生活著。

好比說，他得扛起還在唸大學的三個妹妹的花費，而身為千金小姐的她，會不依賴父親資助，自己開一家飾品店，靠雙手賺錢，一定也是為了什麼夢想。

任冬柏終於轉開目光，拉開右手邊最底下的抽屜，煞有其事的拿出裡面一本輕巧的冊子。

他也正在努力著，用有限的金錢，完成他的夢想。

是的，他一直有個夢想，想出國去唸知名的室內設計研究所。

大學時期，系上曾經邀請該知名研究所的教授來演講，他去聽了那場演講，從此一心嚮往。由於家境關係，沒有資金讓他一畢業就出國，同時，三個妹妹當時也

才國中，他只能選擇先在國內工作，至少等妹妹們上了大學，他也存夠了錢後再出國唸書。

進「當家」之初，他就跟小惠姊提過這件事，小惠姊不僅寬容的同意了，還說希望他回國後，能回「當家」繼續工作。

如今，三個妹妹都上了大學，他的經濟壓力雖重，但也好不容易存下了一些錢，此刻，任冬柏拿著那本入學簡章，不禁再次想起今天的夏琦。

明明家境富裕，她卻也活在金錢有限的框框裡，任冬柏初次對這個曾經被他以為生活不虞匱乏的千金小姐感到佩服。

✿ ✿ ✿

夏新龍工作繁忙，仍重視家庭，每天早上他都儘量保持全家一起吃早餐的習慣，維繫家庭感情。

這天早晨，準時八點鐘，夏家成員圍坐大圓桌，準備享用早餐。

一早就西裝筆挺的夏新龍，左手邊是穿著線衫跟窄裙的妻子沈芳芳，再來是打著哈欠的夏嘉，夏琦則是精神奕奕的坐在父親右手邊。

夏嘉前年嫁給織品業小開，婚後幸福美滿，享受兩人世界的她，到現在都還沒懷孕，上禮拜丈夫出國出差，她回家小住幾天。

夏新龍先是拿起蒸得熱燙的白饅頭咬了一口，才開始叨唸。「嘉嘉，妳還不快點生個孫子給我們抱？」

夏嘉聳聳肩道：「生孩子不在我的生涯規劃中。」

「什麼叫不在妳的生涯規劃中？結了婚生小孩延續後代是天經地義的事情，妳喔！」夏新龍拿起熱豆漿喝，又說：「就算妳過得了我這關好了，妳老公呢？公婆沒意見嗎？」

「唉唷！爸，你別管我啦！你還不如指望琪琪咧！」夏嘉撒嬌地說。

沈芳芳微笑說：「琪琪，媽的牌友周媽媽妳認識吧？她的小兒子最近從國外回來，我記得他跟妳同年，要不要……認識一下？」

正吃著饅頭夾蛋的夏琪先吞下嘴裡食物，才淡淡說：「不要。」

「為什麼？」沈芳芳皺了下眉。「認識一下而已，又不是要你們怎樣。」當然，如果看對眼來電，是她心之所願。

夏新龍插話，臉帶嚴肅地問：「還是要爸給妳介紹？」

他們兩老都很擔心夏琦，自從學長劈腿事件之後，夏琦沒再交過男朋友，也沒聽說她生活中有認識男生，每天只是店裡跟家裡兩頭跑，將活力投注在工作上，他們擔心她再這樣下去，會真的嫁不出去。

可明明他們把女兒生得這麼好，漂亮又可愛，說她嫁不出去……實在讓人不服氣，他們的女兒怎麼可能沒人要！

「不要啦……」夏琦有些煩惱地說：「爸、媽，你們不要擔心我的事情啦……」

她希望跟自己過一輩子的人，能由自己來選，就算相親只是一個認識人的管道好了，但她現在心裡滿滿的，不想貿然認識其他男人。

「那怎麼行？」夏新龍不高興的說：「爸不想看妳被一個男人欺負就對感情沒信心到這種地步！妳要出去拓展生活圈，多認識一些男人，就會知道這世界上不是只有妳學長那種爛咖！」

「對嘛！」夏嘉幫腔道：「換作是我，就會聽爸媽的，妳想想，爸媽介紹的人，至少家境都有一定程度，不會像之前那個爛人，拿我們家的錢玩女人！」她話說得很難聽，被沈芳芳瞪了一眼。

沈芳芳軟言相勸。「我們不是歧視沒錢的人，妳爸也是白手起家，他知道打拚的辛苦；可是琦琦，妳被騙過，媽不放心讓妳自己找對象，更何況妳能認識什麼樣的人？在妳那個店裡，來的客人大都是女孩子家吧？就算有機會認識男人，他們如果知道妳家裡有錢，一定都會貼上來的，這樣……媽怕妳又被騙……」

夏琦皺起眉，聽他們你一言我一句的，把她當個孩子般指導，之前被學長背叛的回憶又浮現，她感覺胸口一陣不適，即使對學長已經沒感情，但想到自己被這樣欺瞞，還是非常地……痛心。

他們的意思是——沒錢人的人，接近她都是為了錢。

夏琦怎會不知道這世間險惡？她跌過一次跤，比別人更怕，可是她不會這樣防人，而且，現在她單戀的任冬柏，就沒有因為她的家境而接近她！

她深吸口氣，乾脆全盤托出。「我有喜歡的人了啦！」

三人大驚，原以為再也不打算碰感情的夏琦，沒想到已經偷偷有喜歡的對象了?!

夏嘉先回過神來，她抓住夏琦的手搖了搖，訝道：「真的?!是誰？我是問……什麼樣的人？」

夏新龍也問：「做什麼的？怎麼認識的？」

沈芳芳也很好奇。「怎麼不把他帶回來給我們看看？」

夏琦看著親愛的家人，乾脆豁出去把事情都講出來，從認識任冬柏開始，一直到目前她還處於單戀階段。

聽完，夏新龍跟沈芳芳沈下臉，他們沒說話，心裡想的都是一樣的事情。

他們的女兒對這男人根本只是癡心妄想，都暗戀這麼久了，人家跟本對她沒意思呀！這樣下去……怎麼得了？

夏嘉是直腸子，她率直道：「琦琦，妳有沒有想過……可能他已經有女朋友之類的啊？」

夏琦搖搖頭。「應該沒有吧！我有問過。」

「怎麼問的？」夏嘉揚揚眉。

「姜姜的朋友正好在他們公司當助理。」

夏嘉皺起眉，心裡感覺不踏實。「我怕妳又被騙。」

夏琦淡淡笑了笑。「他知道我的家世，卻從沒討好過我，我覺得……他不是這樣的人。」

夏新龍嘆口氣，說：「如果是這樣就好了，琦琦，爸就怕妳太嫩，有時候，就算認識多年的好友，也可能突然翻臉變仇人，妳還年輕，爸怕妳受騙，聽爸一句，不要太死心眼。」人心隔肚皮啊！

夏琦雙手合掌作求饒貌，無辜的大眼睛眨了又眨，軟言道：「爸、媽，還有姊，拜託給我一點空間跟時間，饒了我吧！」

夏新龍跟沈芳芳對視一眼，女兒第一次對他們說出這個男人就馬上打回票，好像滿不通情理的……

「就給妳一點時間吧！」夏新龍又下但書。「但爸媽可不想看到妳變老姑婆，妳跟這個男人……我看，就給妳三個月時間吧！如果三個月後都沒有結果，一定要接受爸媽的介紹。」

「我看是相親吧！」夏嘉笑說。「不過，聽妳剛剛說的，已經那麼久都沒任何進展，妳該多加油嘍！要不要我傳授妳一些招數啊？」

「不要。」夏琦嘟了嘟唇，不服道：「我會自己努力的！」

自己的戀情自己加油，要別人幫忙很怪欸！而且，姊姊會教的都是一些怪招數，她想到就發抖！

任冬柏花了幾天時間，終於把「向隅」的平面配置圖完成了。

為了所謂的「阿茲特克風」，他找了很多資料，花了很多個晚上熬夜畫圖，終於暫時完成第一步工作。

接下來，就看夏小姐的反應了。

這日，任冬柏約了夏琦打烊後在「向隅」看平面配置圖。

晚間九點半，他準時到來，兩人在櫃檯後的一方圓桌邊比鄰而坐，桌上的資料隨意堆放，任冬柏拿著一張設計圖解釋說明。

「……是一種古老野林的感覺，整體上我打算以深綠色的室內植物來佈置，點綴一些原產地在熱帶雨林的花，比如說紅紫色的大岩桐，這邊有圖……」他翻開另一張圖給她看。

夏琦看著圖上或紫或紅的花，花瓣呈波浪狀，很是可愛。

「牆我打算使用灰白色石磚，光源方面偏昏暗，飾品櫃旁的光源會打得比較集中。」他又翻開一張圖，說：「這是平面配置圖，樓梯一上來是賣場，**VIP**室則較

隱密，設在三樓的最後方……」

任冬柏介紹完，定定看著眼前的夏琦，她端正的坐著，微彎身體細看放在桌上的圖，白皙的臉蛋上滿是專注，眼睛眨也不眨，十分認真。

任冬柏覺得有那麼一點緊張，已經跟她說明完設計方向，然後她就一直沈默至現在。

往常的夏琦很快就會笑著說OK，可今天好像有點不一樣，他不禁又想到她提出阿茲特克風這個想法的時候，臉上的表情溫和、口氣有禮，卻的的確確使他覺得遇到了個難題。

旁邊的夏琦，是真的很認真在看這份平面配置圖。

任冬柏不愧是她欣賞的室內設計師，光聽他講解就令她也期待起來，原以為阿茲特克風可以讓他煩惱到影響水準，沒想到他還是一樣優秀。

可是……姜姜的塔羅牌指示忽然跳進她腦海裡，她不動聲色的看著配置圖，試圖找出一些可以修改的地方。

她先是彎唇一笑，然後將目光從圖上移開，看向對面高大俊挺的男人。

任冬柏被她這樣笑看著，只覺得心口一陣麻，有點兒慌，除了擔憂她會說出什

麼話之外，還有些不知名的情緒在竄動著，令他心躁。

她眨眨眼睛，仍然無害的微笑著。「任先生真厲害，工作速度真快。」

快？他微愣。這是指他只有快的優點嗎？他的目標是又快又好，但好像沒在她剛剛的話裡聽到耶？

他更為緊張了，看著夏琦忽然收起笑容。

「夏小姐？」

夏琦蹙起眉頭，神情煩惱，語氣遲疑。「可是……任先生，還是有些地方跟我的想法不大一樣……」

「請問是哪裡？」他口氣失去平穩，帶著些許急切。

「這邊。」她纖紙一指。「我希望這邊可以留個大一些的通道。」

他看著她指的地方，那裡是VIP室的門口，他留了一個小區塊準備做一面牆，牆上想貼仿真的石塊，牆前擺放一張長椅供顧客等候時坐。

光看也知道，空間已經很壓縮了，她還想要一條更大的通道？

「任先生？有問題嗎？」夏琦不是故意挑毛病，她只是用更加嚴格的標準來找出一些缺點，她希望通道不要太小，以免讓客人感到擁擠。

他沈了沈嗓，回道：「沒有，我再想辦法解決。」

「那我們繼續。」她微笑，裝作沒看見他驚訝的表情顯然在說「還有繼續」?!

「這邊……我希望可以把陽台拓更寬，讓陽光照進來。」

他臉皮抽了抽。

拓寬陽台?!之前溝通時她怎麼沒說？

他咬牙道：「夏小姐之前『好像』沒說到陽台的事情。」

她無辜地眨了眨眼。「我忘了。」

這句我忘了，教任冬柏的理智線也跟著斷了，他盯著滿臉無辜的夏琦，微瞇了瞇眼睛，回道：「那請問夏小姐還有哪些忘了的事情呢？」

她看出他的不悅，心裡有一陣緊張。

姜姜的塔羅牌指示的確讓他跟她之間的互動有些不一樣了，從平靜疏離變成熱絡一些，但她可不想當個討厭鬼呀！

夏琦低了低眸，重新抬眼時，又回到從前那個聽話動人的夏小姐。「不好意思，任先生，我知道這次我的意見比較多一點，但這是因為店面要拓展到三樓了，我有點緊張，更加求好心切，所以……希望你不要覺得我是在刁難你。」

任冬柏微訝的聽著她這番話，忽然不知道要怎麼面對她了。她……原來是這樣的人嗎？一下乖巧好相處，一下專給人找難題，這會兒卻又無辜得不得了。

他忽然覺得她的性格真複雜，任冬柏有陣恍惚，到底哪一個才是真正的她呢？以前會覺得乖乖牌夏小姐好相處，但從沒在他心中留下深刻印象，現在意見比較多的她，這幾天卻輕易佔領他的思緒，有好幾次圖畫到一半，就會想到她說著得一層一層開店原因的樣子，令他心折配服……也心疼。

夏琦從袋子裡拿出一個漂亮的深藍色盒子，表面有著美麗的燙金字體，任冬柏瞥見上頭的字，心裡立時明白這是個價格不便宜的牌子。

她有些不好意思的看了他一眼，緩緩將盒子推到他面前。「謝謝任先生每次都幫我的店設計得這樣美麗，我知道自己這次比較難搞一些，也聽說任先生有在收集酒類，所以送這樣禮物給任先生，謝謝你以前的幫忙，也希望這次我們的合作跟往常一樣順利。」

任冬柏不語，他皺眉看著已經推到自己眼前的盒子，連打開的興趣也沒有。

夏琦見他沒反應，於是主動將盒子打開，熱情介紹道：「這是水晶杯，很漂亮

吧？」

這水晶杯，是早就買好的，從暗戀他最初，得知他有收藏酒的習慣，便在一次逛街時買下，美麗的水晶杯要價不菲，她還是咬牙買了下來，用的是自己開店後賺的錢，所以花起來更加肉痛。

一直苦無機會拿出來送他，知道自己這次的要求比較難搞後，她早決定要趁這次看圖找藉口送給他，夏琦猜他一定會喜歡，雖是用錢討好，但也希望他高興。

畢竟，會收藏酒的人，又哪會不喜歡能為名酒增色的酒杯呢？

然而她卻看見任冬柏臉色一沈，回視她的目光充滿了不悅，甚至還有怒意。

任冬柏冷著嗓音，道：「我只收藏酒，卻不喝酒。」

他從不喝酒，所以只收藏酒品，不收藏酒杯，不清楚這點而送他酒杯的人不少，當然，他一樣會不高興，卻沒有哪個人，像夏琦一樣讓他這麼在意。

這水晶杯讓他思及悲傷過去，情緒起了波動，他有不喝酒的理由，而那理由很深很痛，這刻被她觸動，他格外激動。

任冬柏凜眸，理智線彷彿斷掉，一時脫口而出說：「這水晶杯很貴，一般升斗小民雖然買得起，但也不會有人隨手就砸個兩、三萬去買水晶杯，這禮物太貴重

了，我不能收也不敢收。」

就是因為太貴了，讓他感到不舒服。

任冬柏忽然覺得自己跟眼前這個千金小姐的認知有差距，他覺得貴的東西，她似乎可以隨手買下送人，前幾天才說她也得靠自己賺錢，對照今天的出手大方，他實在不知道哪個才是她真正的價值觀？

他覺得……這酒杯提醒著他們之間的差距，這認知令他不悅。

可為什麼要為這種事不高興呢？夏琦的價值觀，跟他又有何關係？他就是不能坦率愉快的收下禮物，反而有一股氣惱在胸口流竄，甚至，想摔掉那昂貴的水晶杯，不想再見到那一直提醒他跟夏琦之間身家差距的東西。

自己怎麼了？這刻任冬柏不及細想，就看見眼前的夏琦小嘴一癟，臉上盡是委屈。

「對不起……」她也不知道怎麼會這樣？他的話語帶著責怪，口氣有著不高興，她只隱約知道自己送錯東西了，但確實原因，她卻一頭霧水。

是水晶杯太貴重，讓他不能收下嗎？

可為什麼不能告知就好，要一臉不高興？

見她道歉，任冬柏心中漫起一股心疼，同時，矛盾地覺得該告訴她自己到底為何不悅……

終究他還是善心大發的開口，口氣裡仍充滿濃濃不悅。

「夏小姐，不知道妳還記不記得前幾天才提過說創業很辛苦，能將『向隅』經營到開放三層樓都是靠妳自己的努力，可是我不明白的是，為什麼妳對沒有太深交情的我出手這麼大方？我知道這水晶杯的價值，可妳一出手就送這樣貴重的東西，只會讓我覺得……」他頓了頓，又說：「妳前幾天說妳創業辛苦的那段話，很假。」

「很假？」她呆愣一下，覺得好委屈，他對她的誤解，讓她驚慌。

「任先生……我……這個水晶杯是因為我真的想要感謝你，才買下來的，你覺得我出手太大方，很抱歉造成你的誤解，可是我只是……只是……」她覺得好委屈，鼻頭一酸，眼睛一澀，眼淚忽然掉了下來。

哭泣，讓她的情緒暫時得到釋放，卻也讓事情變得很僵。

至少任冬柏被她的眼淚嚇著了，的確，他話是說得有些重，可是正常來說一般人不會這樣就掉眼淚吧？

他緊緊的皺起了眉，就算她真的只是誠心想感謝他，還是讓他忽然覺得眼前這可愛女人充滿嬌氣，好像講也講不得一樣。

可看著她的眼淚，他又覺得心口好像被揪緊，有種隱隱的心疼浮起，那雙美麗的眼睛正紅著，可愛的紅唇癟了，眼淚像剔透的雨滴染濕白皙的小臉蛋……她哭起來，著實令人心疼。

也許，她真只是想謝謝他而已。

想到這兒，任冬柏也沒辦法再板著臉了，他深吸一口氣，緩道：「夏小姐，別哭了……」

窗外也在這時下起了小雨，他無奈的看著窗外雨滴，覺得她的眼淚就如同外面的雨一樣，滴答打在他心土上，令他無法置之不理。

「夏小姐……」他煩躁的抓了抓髮，不知道該說什麼安慰她，於是只能呆坐椅子上，不斷嘆氣之外，就是看著對面的她哭得可憐兮兮地。

他有三個妹妹，小時候，不管哪個妹妹哭泣時，他都是輕輕伸手摸摸妹妹的頭，無聲安慰著。

有好幾次，他都有股衝動想伸出手摸摸她，像安慰妹妹一樣，安慰眼前熱淚紛

紛的夏小姐……

終於，夏琦停止了哭泣，哭掉了所有激動，她漸漸平穩了心情，抬起淚眸看著對面的他時，也同時看見他眼底的無奈及那一臉拿她沒辦法的樣子。

幸好，剛剛的不悅已經從他臉上退去，那個說話帶刺的任先生消失了，取而代之的是眼前這個一臉不知如何是好的他。

這瞬間，夏琦忽然不感到那麼難過了。

她就是不由自主會為他解套，想著他也許就是不喜歡那個禮物，也許他覺得她「炫富」，但這都是因為他還不夠了解她，她可以不怪他。

但雖然可以不怪他，心情還是委屈的，今天，她沒辦法繼續談下去了。

她抹了抹臉上淚水，頻頻吸氣又吐氣調整呼息，泛紅的眼睛看向任冬柏，目光裡沒有情緒，嗓音哽咽，說起話來很勉強。「任先生，今天先談到這邊就好，麻煩你修改我剛剛說的兩個地方，其他下次再談吧……」

帶著哭腔的嗓音，卻以平穩的語調這樣說著話的她，故作堅強得讓任冬柏心頭莫名一陣慌。

明明剛才哭得這樣委屈，現在卻好像什麼事也沒有，只是就事論事，平靜的要

求下次再討論，任冬柏真是搞不懂她了。

可是，不能否認的，這個多變的夏琦，忽然佔據他很多心思，留下了極深刻的印象，也觸動了太多他不常出現的情緒。

夏小姐乖乖牌的形象已經淡去，取而代之的是寧靜說著要靠自己經營「向隅」的她、是微笑著說想要阿茲特克風格的她、是哭泣著的她，在他心中久久不散。

第三章

他會不會太過分了？

已經是睡覺的時候了，可任冬柏一直想著這個問題，輾轉難眠。

King Size的大床上，任冬柏呈大字形平躺，室內沒開燈，只有唯一的一扇窗透進微微月光。

他不斷回想今天她說話的表情，當她拿出水晶杯來時，臉上的期待與興奮的口氣，都清楚的印在他心版上。

她就像個孩子，將得意的東西獻上，期望看見的是受贈者的笑容與稱讚。

可當他看見那水晶杯，理智線就斷了，他變得嚴厲……任冬柏知道自己沈下的臉看起來很嚇人，他生得粗獷凶悍，稍稍蹙眉就像發起大火一樣，而嬌小柔弱的夏琦是否就是被他不悅的模樣給嚇到呢？

或者，是他帶著責備的口吻，令她感到委屈了？

可這也不能怪他……

他閉上眼睛，永遠也忘不了高中一年級時，改變他一生的那一天——

那天晚上，父母說要跟朋友吃宵夜，將當時六歲的三胞胎女兒哄睡後，對著還在唸書的任冬柏說了幾句會晚點回家別讀太晚之類的話，就出門去了。

那是任冬柏最後一次見到自己的父母。

父母跟朋友一起吃宵夜，還喝了一些酒，回程時駕車不慎，發生了車禍，兩人都當場死亡，除此之外，還波及了旁邊一名等紅燈的機車騎士，騎士經過搶救後，仍然宣告不治。

這場三條人命的車禍，只在社會版佔據了一天的版面，卻奪去了他無憂的生活，頓時許多壓力接踵而來，他從那一天開始，被迫長大。

他的世界，從明亮變得黑暗，得自己面對未來之外，還得照顧三個妹妹，以及承受騎士家屬的責難。

雖然騎士家屬看到他們家只剩下他跟三個年幼的妹妹後，沒有對著他們破口大罵，可死者父母那怨懟的眼神仍舊讓他背脊發寒。

後來，他跟三個妹妹各自住在不同親戚家，所幸大家都在北部，他只要有空就會到近一點的親戚家看妹妹，遠一點的就等到放假時搭車去探望。

他不希望妹妹們長大後，忘了彼此是家人，也不希望大家疏遠，很努力的維繫這個家，雖然大家各分東西，但他下定決心總有一天要再次住在一起。

直到三年前他正式當上設計師滿一年後，才開始負擔當時剛上大學的三個妹妹的學費跟生活費，經濟壓力不算小，他卻甘之如飴，至少不用再看人臉色，不用再覺得愧對收養自己的親戚。

正因為父母是酒駕惹禍，任冬柏絕不喝酒，同時他也特別留意很多關於酒的消息與新聞，但越是瞭解「酒」，就讓他越明白其實「酒」不是壞東西，壞的是不懂善用它的人，任自己喝得大醉、闖禍生事。

名酒的製造過程嚴謹且充滿歷史，一瓶酒的熟成是歲月的淬鍊，這些觀念使任冬柏開始將「酒」以藝術品看待，家裡有一面玻璃櫃，放滿了他收集而來的，他認為是「藝術品」的酒，但他從不喝，只是擺著看。

任冬柏的心情很複雜，他佩服製酒的師傅，用購買行為來鼓勵這項技藝，可是卻又憎酒令人誤事，讓他少年時就沒了父母的支持，使他們兄妹得分散各地。

而這面酒牆，令他感覺安心卻又充滿警覺性，他常常站在酒櫃前，看著澄美的酒液，感嘆這世界有這般神奇美麗的東西，又時時提醒自己年幼時受的苦，就算成為再有名的室內設計師，也不能忘了自己有過這樣的苦日子——不忘初衷。

所以，他才會對夏琦送的水晶杯反應那麼大。

他不喝酒，不需要水晶杯，她贈水晶杯的舉動瞬間讓他思及了過去，情緒不能再保持平靜，但……不只是這樣。

因為水晶杯的價值，徹底讓他心情亂了。

他發現自己討厭那昂貴的水晶杯，這讓他覺得夏琦跟他之間是有差距的，她是有錢的千金小姐，他則是努力工作以養活自己的平民階級，他們相差太多。

她出手大方闊綽，他則為那水晶杯的價格膽顫心驚，他們之間差距那麼大，絕不可能走在一起……

任冬柏沈沈的嘆了一口氣，他知道自己為什麼理智線斷掉了。

因為前幾天訴說得靠自己經營店面的夏琦太迷人，讓他心生感動，以及……親近，他向來喜歡靠自己雙手生活的人，而夏琦因為家境關係，早讓他排除在喜歡的圈圈之外。

然而她一這麼說後，一切就不同了，從不虞生活到獨力經營，這中間的反差令他對夏琦產生了佩服跟好感，所以當她拿出水晶杯時，他才會覺得那麼地刺目。

他都快不認識自己了……因為夏琦這個人，他忽然不知道該怎麼面對她了，越是看見她其他面貌，他越覺得自己被她吸引，然後……變得不像自己了。

感覺真糟。

忽地，床邊的手機響起，他在黑暗中伸手摸索，抓了手機接起。

「幹麼？」來電顯示是大妹任筱蘭，他閉著眼睛懶洋洋的問。

「哥！」筱蘭青春洋溢的嗓音從電話那頭傳來，她笑著說：「你那邊冷不冷呀？」

「冷？」他微愣，想了一下，才回：「不知道，沒有注意，就跟平常一樣呀！」北部是比三個妹妹唸書的高雄冷很多，但進入冬季後，他已經習慣這樣的天氣，要特別說冷不冷，唔，他沒放心思在這邊。

「氣象說寒流要來了耶！你小心一點不要感冒啊！」任筱蘭關心地提醒。

他微笑。「少烏鴉嘴了！」

「如果有個嫂嫂可以照顧你就好了，哥你不要以為身體高大就是抵抗力很強

喔！很多人外強中乾，生得一副高大身材卻是弱雞。」

「少廢話，有什麼事？」他懶得再聽妹妹叨唸。

三個妹妹一天到晚逮到機會就叫他快點交女朋友跟結婚，但工作繁忙的他去哪裡認識女生？

不對，有些客戶是會替他介紹對象，也有客戶投懷送抱的，可是……他就是看不對眼，提不起興趣。

腦海裡，突然浮現夏琦嬌俏的臉蛋，他一怔，感覺心跳加快，不知道自己怎麼這會兒又想起她，果然是太在意她了……應該是對今天的失態感到愧疚吧？

「我們要放寒假了，哥你來幫我們載行李，不容你說不喔！」任筱蘭老實不客氣地下令。

疼妹妹的任冬柏怎麼可能說不？他問了確切日期後，應聲答應。

任冬柏，三十一歲，父母早亡，三胞胎妹妹今年二十一歲，在高雄唸書。

去年買回當初為賠償而變賣的老家，目前仍在付房貸，每年至少三次拜訪當年

被父母撞死的林姓騎士父母，上一次去是中秋節，林姓夫妻對他已無怨恨，相處融洽。

戀愛經驗零。

……

以上是任冬柏的調查資料，僅寫滿一張A4紙。

上面佔據最多的是當年任冬柏父母的車禍事件，觸目驚心的敘述，讓閱讀的夏琦心狠狠揪起。

桌子對面，是一臉得意的夏嘉，她穿著寶藍色高領毛衣、淺藍色牛仔褲，長髮微鬈，明豔照人。

夏嘉微笑的看著妹妹閱讀時驚訝的表情，因為她看到這份徵信社送來的報告時，也是非常震驚於這個叫任冬柏的男人曾經有過這樣苦痛的過去，以及震驚於他負責任的態度，擔起責任拜訪林家，以行動懇求林家原諒。

換作是她，她做不到。

也因為這份報告，讓夏嘉對未曾謀面的任冬柏印象好極了。

「感動吧？」夏嘉看見夏琦放下資料，出聲詢問。

「嗯。」夏琦深吸口氣，還沒辦法壓抑胸口漫起的難受。

她……不知道該說什麼好。

沒想到任冬柏有這樣辛苦的過去，當她過著衣食無缺的生活時，他卻失去父母的庇護，寄宿於親戚家中。

他明明可以因為恐懼而不觸碰傷痛的過去，但他卻逼迫自己去見林家人，面對一切，擔起責任。

她幾乎沒辦法想像，第一次到林家人面前的他，是怎麼面對傷痛哀戚的林家人？林家人怎麼可能給他好臉色呢？

「琦琦，我覺得妳這次選的男人不錯。」夏嘉笑了笑，拿起紅茶啜飲一口，又說：「至少擔得起責任，很有骨氣。」

夏琦的心正為任冬柏痛著，她虛應：「嗯……」

「幸好我這次多管閒事，請徵信社去查，妳看，一切都一目瞭然了，知己知彼，百戰百勝嘛。」

「嗯。」

「真的不用我再教妳幾招？」夏嘉邊問，摸了摸紅茶杯的杯緣，接著抬眼想要

笑妹妹動作太慢，卻被夏琦臉上的眼淚嚇住了。

「不用……」夏琦摸了摸臉上的淚水，手心一陣濕，她胡亂擦著，覺得視線卻更加朦朧了。

「琦琦……」夏嘉被多愁善感的妹妹搞得不知如何是好，她向來寵愛妹妹，這會兒見她哭成這樣，她不禁擔心起來。

雖然目前看來任冬柏像是個好男人，但看妹妹執著成這樣，她忽然有點驚慌，夏琦前一段感情的陰影讓他們全家人都跟著痛，這下……夏嘉怕夏琦愛得太深，更怕她跌得太重。

夏嘉斟酌著想說些什麼安慰的話，又想提醒妹妹不要陷太深，沈默半天後，才吞吞吐吐的開口。「我覺得……妳是不是應該……」話沒說完，就被忽然站起來的夏琦給驚得吞下未完的話。「怎麼了？」

夏琦站著，一手胡亂抹著眼淚，低頭看著夏嘉，被淚水洗滌的瞳仁散發著堅定，她口氣執著。「姊，不好意思，我有事得先走了。」

話說完，一把拿起包包就小跑步的走了。

被留在原地的夏嘉呆愣了一會兒後，淺淺嘆了口氣。

有事？八成是急著去見任冬柏吧……

她還不夠了解自己的妹妹嗎？對感情總是傻乎乎地，有著異樣的執著，情願付出得比對方多，這就是夏琦的感情觀，真不知道是像了誰了?!

✿ ✿ ✿

被通報夏小姐來訪的消息，讓忙於畫圖的任冬柏猛地抬起頭，滿臉震驚。

她來找他?!

任冬柏邊走邊想她來找他的原因，該不會是覺得那天他太生氣，讓她落淚，所以現在轉成生氣，要來取消合作吧？

若是這樣，一通電話就可以，何必親自前來？

他到了會客室，看見安靜坐於沙發上的夏琦，沒立刻迎上前去，只是站在門側她看不到的位置偷看她。

她穿粉紫條紋長毛衣，搭配黑色牛仔褲以及褐色長筒靴，胸前髮絲有些散亂，表情……他看不出來她眉頭的那股愁來自何處。

一會兒後他才走進去，她聽見腳步聲立刻轉過臉來，看見他後，她很快的從座

位上站起身，神情慌張。

夏琦是來道歉的。

看過他的調查資料後，她為他心痛，同時，更為自己送他水晶杯這個舉動感到後悔。

雖說不知者無罪，可是，她仍然覺得是自己碰巧送的水晶杯，讓他想到過去，造成他的失控，進而說出那些有點尖銳的話。

她怪罪自己的無心，雖然是出於討好，就算是出自好意，仍然該為自己的無心說聲抱歉，所以她沒想太多就來了。

眼前的任冬柏，一如往常的高大挺拔，不同的是，他臉上不是掛著往常客氣有禮的表情，而是皺起眉頭，看來有些煩惱。

這會客室不是完全封閉的，有扇透明小窗，可以看見外面辦公室的情景，當然，從外面也能看到裡頭動靜，此刻，任冬柏幾乎能感覺辦公室裡所有的視線全好奇的往自己招呼過來，他感到有些苦惱。

還來不及細想，就聽見眼前的夏琦率先開口。

「任先生，我是來……」

任冬柏打斷她。「這邊不好談。」他看了外面一眼，接著問：「我們去外面喝杯咖啡吧！」不給她拒絕的機會，他不由分說的往外走，不明就裡的夏琦只能快快跟上他的腳步。

出了會客室，夏琦終於感覺到那些目光如潮水般襲來，她眨了眨眼睛，不懂為什麼大家對她的到來這麼好奇？但，可以知道的是她的到來讓任冬柏困擾了。

她只能乖乖的跟著他走，高大的他腳步很快，沒三兩下就拉開一小段距離，嬌小的夏琦努力加快腳步想追上，但又不好意思小跑步起來，只能困難的、看起來有些滑稽地跟在他身後。

忽然，她覺得他距離沒那麼遠了，這才發現他不知道什麼時候停下腳步，回過頭等著她。

她有些不好意思的對上他的目光，這瞬間，他們對視著，時間好像變慢了些，有什麼在兩人之間溜溜地轉。她莫名的感到滿足，胸懷漲滿欣喜。

他真貼心，還等她呢！

就為這尋常的小小舉動，夏琦的臉上浮現紅暈，任冬柏沒有錯過她的表情，他微愣一秒，接著，不明白的皺起了眉。

她在高興什麼啊？

可是，這樣笑著朝他走過來的她，臉紅紅地，眼神充滿光彩，不可否認地，他覺得她……好可愛！

「當家」室內設計公司的對面，有一家古典咖啡店，店主很講究，全店只賣咖啡，完全沒有販售點心跟茶類，來這兒的客人大多是咖啡迷。

任冬柏不是咖啡重度上癮者，但常經過這邊，被咖啡香味吸引而逗留，店主的用心與堅持讓他佩服，幾乎是每天都得喝上一杯。

夏琦知道這家店，休假時她常經過這裡，看見任冬柏在這兒佔據一個位子，埋頭奮鬥。

她被任冬柏帶來這裡，兩人坐在窗邊桌位，隔著玻璃可以看見街道上熙來攘往的人群，欣賞人文街景。

侍者送上菜單，夏琦習慣性的從最下面看起，她不喝咖啡，每回來咖啡館總會從最下面看起，那裡通常會有些熱牛奶、熱可可什麼的，往往都成為她的選擇，但這家沒有……

她微訝的詢問侍者。「不好意思，請問……有賣咖啡以外的飲料嗎？」

女侍者微笑搖頭。「我們老闆堅持只賣咖啡。」

夏琦微皺了下眉，又問：「那……有沒有賣些咖啡餅乾、咖啡蛋糕之類的呢？」這些她可能吃得下去。

女侍者還是搖頭。「我們只賣菜單上的商品。」

「可是……我不喝咖啡。」她看著菜單上寫的低消是每人至少一杯飲品，覺得頭皮一陣發麻。

她幾乎能感覺到對面的任冬柏驚訝的視線，老天，他一定覺得她麻煩又難搞……

女侍者親切的為她介紹。「那妳可以選擇咖啡味比較沒那麼濃厚的，比如說拿鐵，或者這個焦糖瑪奇朵，都很多女客人點。」

夏琦有些為難的選了焦糖瑪奇朵，任冬柏則是選擇藍山，侍者收著菜單正要走時，夏琦又補上一句。「不好意思，可以麻煩妳將我的咖啡多加一點糖嗎？」

侍女侍者微笑應允離開後，夏琦忍不住主動解釋。「我不喝咖啡的，所以才……」

「我有聽到。」他看著她，問：「為什麼？」

她口氣軟軟地，無奈道：「我怕苦，而且一喝咖啡就會睡不著。」沒說出來的還有，每次喝了咖啡，生理期一定延後。

「怕苦？」他扯笑。「難怪。」

他該怎麼辦？他沒辦法制止自己對夏琦展現嬌貴的那面升起不悅。這會令他感覺她很遙遠，管不住自己冷言譏她，然後看見她難受，他也跟著難受。

就像現在吧，夏琦明顯的垮下臉來，眼露委屈，可憐兮兮的看著他。

「任先生。」她喊他。

他看她一眼，然後有些被打敗的回道：「夏小姐，請問妳今天來是為了什麼事呢？我圖還沒修改完，不知道妳……」他盡力維持官腔，卻又覺得很滑稽。

他們剛剛的互動，哪需要什麼任先生夏小姐之類的稱呼？上次他帶著刺的話，早就已經越過客戶與設計師的這條線，剛剛也是，他衝動之下把她帶出會客室，就因為不想忍耐同事的目光，卻讓自己回去後一定得遭到更多的逼問。

夏琦不正面回答他的問題，她有滿腔感受想說，沒辦法一一說明，她深吸一口氣，接著一股腦兒的說：「任先生，我知道你對我感到不滿意，事實上我也覺得

我那天送水晶杯的舉動冒犯了你，畢竟因為你的過去，我沒有打聽過就送這樣的禮物，當然會讓你感到難受；我今天來是想跟你道歉，因為我不知道你以前發生的事情，所以很自然聯想到你既然有收集酒就會喜歡酒杯，我是無心的，我希望我們還能維持很好的合作關係。」她再次深吸一口氣，補充道：「我真的很喜歡你的設計。」

長長一段話，講得有些瑣碎，有那麼一點亂七八糟，可是，任冬柏卻聽進去了，他抓到重點，問：「我的過去？」

「就是你父母的事情……」她越說越小聲，就怕再次觸動他的傷口。

他凜眸。「妳怎麼知道這些事？」

他不想被知道這段過去，尤其是夏琦，他不想要她可憐他。

瞧瞧她現在的目光，隱隱含著沈痛，他知道她在同情他，覺得他以前很可憐，可是，她的目光教他難受。

「我……」夏琦說不上來，她總不能說是因為徵信社的關係吧？

接觸到他凜冽的眸光，她覺得有點害怕。

怎麼辦？她想要接近他，想擄獲他的心，沒想到事情卻不如她所想，他們之間

是已經不像客人跟設計師之間般疏離了，但任冬柏好像對她有誤會，覺得她刻意調查他……

他好像離她越來越遠了。

幸好這時，侍者送來咖啡，熱騰騰的咖啡上了桌，空氣裡充滿迷醉的咖啡香，夏琦看著面前那杯焦糖瑪奇朵，想也不想的就把旁邊侍者多為她送上的糖給狠狠加了進去。

一匙不夠，兩匙一定也不足，三匙四匙五匙……最後，夏琦加了六匙才滿意，然後她端起那杯高糖度的焦糖瑪奇朵，淺淺的啜了一口。

很甜，但也苦。

她皺起眉，小臉縮成一團，就差沒苦得發抖。

這誇張舉動入了任冬柏的眼，他被她逗笑了。

淡淡的笑容，掛在他唇邊，就連看著她的目光也因此柔和了些，一如溫暖的冬陽，將察覺他笑意的夏琦給曬得臉色發燙。

「任先生。」她噘了噘嘴巴。「我知道你看我不順眼。」

她知道的，一連串的誤會，讓他心裡對她改觀，可是她好委屈，明明自己都是

出於善念，都是出於一顆想接近他的心，怎知卻搞砸了。

任冬柏揚了揚眉，剛剛的不悅，竟因為她這樣委屈的坦白直率煙消雲散了。

哪個成年人，會對著別人直接說「我知道你看我不順眼」呢？

只有夏琦。

她沒心機、坦率直接，想說什麼也就藏不住，任冬柏忽然明白，這幾天的生氣，全都是自己小題大作。

是，因為父母車禍的事情，讓他變得敏感，但讓他變敏感的不只是過去經歷，還有，她在他眼中太過亮眼。

因為她的亮眼，讓他感覺到自己的黯淡，所以她送他昂貴水晶杯，他不高興；所以她說咖啡苦，他也覺得她太嬌氣。

可現在想開了，任冬柏倒覺得她這樣很可愛。為了跟他道歉，她特意跑來見他一面，其實以她的客戶身分，大可以裝作沒事。

「我沒有看妳不順眼，夏小姐。」他喝了口藍山，感覺滑順苦味蔓延味蕾，然後他放下咖啡杯，一手撐著臉，好整以暇的看著她。

她的臉上頓時佈滿紅霞，看起來坐立難安，任冬柏於是肯定自己對她的影響

力，她一定是很在乎他，才會急著道歉，才會想討好他。

是愛情嗎？

他不確定，可能只是好感，還不到愛，但這已經足以令他感到愉悅。

「我也覺得妳是最好的客人，我很願意繼續為妳設計『向隅』，那天的事情我也有不對。」他淡淡微笑。「其實，是我反應過大，是我失態。」

她聽了，連忙搖手道：「不是這樣的，是因為我陰錯陽差選了這樣的禮物，如果要說誰有錯，我覺得應該是我才對。」

他做下結論。「乾脆就算我們都沒有錯。但夏小姐，妳不覺得奇妙嗎？如果沒有那天的小衝突，今天我們怎麼會坐在這裡一起喝咖啡？」

她愣了一秒，眨了眨眼睛，看著桌上的焦糖瑪奇朵，忍不住端起來又喝了一口，舌尖觸及溫潤的甜香，以及澀澀的苦味，她一樣皺起臉來，覺得嘴裡的甜味與苦味在打架，就好像愛上任冬柏帶給她的感覺一樣……

這幾天，她覺得很苦，煩惱自己惹他不悅，而這會兒他就坐在對面，笑著跟自己喝咖啡，這般自在的距離又讓她嚐到甜味，蜜得教她瞇起眼。

夏琦一時不察，脫口說：「是啊，如果不是你，我絕不會願意喝咖啡的，可現

在，我認識了焦糖瑪奇朵，又甜又苦……」

如果不是你。

任冬柏聽見了。意思是，換作其他人，她定會抵死不從，絕不喝咖啡，是嗎？沒察覺自己因此而笑得更開心了，他看著夏琦，正想取笑她沒看過喝咖啡加那麼多糖的人，手機卻在這時響了。

他接了起來，是一名約在下午要見面的客戶。

掛上電話後，不得不走了，他站起來，抄起帳單，低頭對著夏琦說：「夏小姐，改完圖再跟妳聯絡，我現在得先趕去其他客戶那邊，再見。」

夏琦正欲掏錢給他，卻被他一個手勢阻止。

看著他去付了帳，然後走出店門，越過人群，回到對面的大樓，隱沒在大門後，她忽然有一股惆悵，好想快點再見到他，她覺得他們之間感覺正好呢！

真奇怪，愛情果然真像焦糖瑪奇朵，教她一下苦、一下甜，卻又忍不住想一喝再喝。

瞧，桌上的這杯焦糖瑪奇朵，她已經喝了一半以上，破了喝咖啡的紀錄了呢！

第四章

今天下著大雨，「向隅」裡的客人很少，下午三點時分，店內無人，只有夏琦跟姜姜兩人守著店面。

淡淡的黃燈，讓大雨中的店面像是一座溫暖燈塔，夏琦懶洋洋的窩在櫃檯後的粉紅色小沙發上，神情有些呆滯。

昨天就像一場夢，她認識了更多的任冬柏，對他的過去更明瞭，同時，也拉近了距離。

她覺得好開心，很想快點再見到他，她或許可以再主動一點、再多拉近一些距離，然後她可以試著收網，擁有他。

可是，她一直覺得自己好像忘了什麼事情……

旁邊，是無聊地低頭玩手機的姜姜，她抬起眼來看了看夏琦，卻見她一臉若有

所思，可愛的小臉皺成小籠包，很是好玩。

「妳在想什麼？」姜姜出聲問。

夏琦不知道該從何說起，索性敷衍道：「沒有。」

「沒有妳會這副表情？」姜姜揚高了眉，想了幾秒後說：「妳有煩惱嗎？不然我們來算塔羅？反正現在也沒客人。」

一聽見要算塔羅牌，夏琦連忙說：「好。」

或許透過神奇的力量，可以讓她心中的迷霧得到解答。

姜姜問：「想問哪方面的？不可能是事業吧？一定是要問愛情，對不對？」

夏琦臉微紅。「妳都猜到了，還問我幹什麼？」

「鬧鬧妳啊！」姜姜熟練的讓夏琦抽牌，擺放牌陣後，看著牌面，沈吟了一下。「嗯……」挺有趣的！

「怎麼了？」夏琦急切地問。

姜姜笑了笑，說：「上面說要妳保持原狀，按兵不動，事情自然會有結果。」

她微愣。「會有什麼結果？好的還壞的？」

「不一定，但一定會撥雲見日。」姜姜看著夏琦的眼睛。「不要太煩惱，只要

保持初衷，是妳的就是妳的。」

「這等於沒說嘛！」夏琦有些不滿意。

姜姜收起牌，聳聳肩。「時候還沒到啊！妳到底怎麼了？跟任先生……是不是有什麼進展？」

自從上次算出要夏琦跟過往背道而馳的結果後，姜姜因為出國旅行，已經兩個禮拜沒來「向隅」了，當然，她也不知道最近夏琦跟任冬柏之間發生的事情。

夏琦看她一眼，把這些天的經歷一五一十說了出來，看見姜姜眼睛越睜越大。

「妳幹麼跟他道歉啦！」姜姜不敢相信。

「為什麼不？」夏琦不懂姜姜的問題。

「妳這樣不就讓他吃得死死的嗎？妳根本就沒有錯啊！只不過是誤踩地雷，如果我是妳，就裝作沒這件事情，喔，妳很笨耶！還跑到他公司跟他道歉，我真不敢相信！」如果她在國內，絕不會讓這種事情發生。

「就算是誤踩地雷，也還是該道個歉吧！」夏琦補充道：「何況，他後來也沒生我的氣啊！」

姜姜深吸口氣，冷靜下來。

幸好任冬柏這傢伙沒繼續生氣，不然她一定會覺得這男人心胸狹窄，是個大豬頭！

「所以呢？妳剛剛到底在想什麼？」姜姜將話題又兜回來。

夏琦抿了抿唇，皺緊了眉。「姜姜，我覺得我好像忘了一件很重要的事情耶！」

姜姜冷哼。「妳要吃銀杏了啦！」

夏琦被逗笑。「我說真的啦！」

「如果是重要的事情，妳一定會想起來的，如果它不重要，那就根本不用花心思去想起來。」

「姜姜，妳說話充滿哲學呢！」夏琦新奇地說。

姜姜伸了個懶腰，看著外面的大雨。「今天雨下得真大，想到要騎摩托車回家我就覺得真是場噩夢，不像妳這個大小姐有車開，我好苦命～～」

聞言，夏琦愣了一下，隨即不滿意的說：「我真的像個大小姐嗎？」

她擔心任冬柏對她的觀感，他好像覺得她很浪費，花錢不眨眼，可她不是這樣的……

「剛認識時，覺得妳是啊！現在雖然還是一樣，但因為認識了，知道妳的個性，就再也沒這樣想過。」姜姜老實地說。

「姜姜……」夏琦有些擔心的說：「我覺得任冬柏好像覺得我很奢侈。」

「誰叫妳要送那麼貴的水晶杯給他？」

「那我該怎麼辦？送都已經送了。」夏琦一臉苦惱。

姜姜看著夏琦，停頓了一下。

夏琦的眉頭就像打了個結似地，眸光裡全是擔憂，紅唇微微咬著，顯現她有點不知所措。

姜姜不明白，她跟任冬柏沒有交往過，為什麼……單單只是暗戀，夏琦就可以投入成這樣？

她也暗戀過人，沒告白就結束的那種暗戀，當對方有了真愛，她心痛一天就收拾好心情，祝福他們，可夏琦不一樣，她的暗戀可以長達數年，執著又沈重。

通常這種人，受的傷都會比別人重。

想到這裡，姜姜沒來由的就覺得心情沈重，她無聲的嘆了口氣，隨口說：「那就想辦法改變啊！展現妳節儉的一面。」說完，她玩起手機，結束了對話。

展現節儉的一面？

夏琦歪著頭，靠向身後柔軟的沙發椅背想著，覺得她平常就很節儉啊！

好比說，她會注意衛生紙的使用量，規定自己一次只能抽一張；她也在水龍頭加裝節水墊片，讓水流變小；除了下雨以外，她會選擇搭大眾交通工具來節省汽油錢……

還有還有，她中午吃的是隔壁巷子裡的小攤子，魷魚羹加米粉只要五十五元！

該怎麼讓任冬柏知道這些呢？

她想來想去，最後，做了一件令她覺得很丟臉的事情。

當天晚上，夏琦選擇吃魷魚羹米粉，然後啊，她把米粉端到三樓，放在一張閒置的桌子上，接著用手機朝桌子後面的牆拍了一張相片，米粉有意無意的也入鏡，佔了照片一小角。

她把相片傳給了任冬柏，內容寫著——

任先生，不知道如果我現在說想要在VIP室漆一面香草綠的牆行不行得通？我覺得這樣可以跟樓下的甜美風格作連貫，很適合。啊，請忽略我放在旁邊的晚餐，

順帶一提，它是附近我常吃的魷魚羹，便宜又大碗，只要五十五元！

照片傳出去後，夏琦馬上就後悔了。

她覺得好丟臉喔！怎麼會有人一下說要「忽略」，一下又說「順帶一提」啦！

姜姜知道了，也笑她。「妳怎麼這麼誇張？笑死我了，哈哈哈哈哈……」

夏琦哀號，無法追回傳出去的照片，只能一整晚心神不寧地查看手機，卻一直到打烊時，都等不到他回傳的簡訊。

她猜想任冬柏可能生氣了，覺得她又提出新要求打亂他的設計……

雨，不知道什麼時候停了。

夏琦關上店門，一坐進自己的轎車裡，又拿出手機查看有沒有新訊息，但他還是沒回。

終於，她很沒志氣的又傳了一封簡訊給他——

任先生，不好意思，其實牆面不漆成綠色也可以，晚上的要求只是因為我想向你炫耀我晚餐吃得很便宜，以免我在你心目中的形象太過奢侈。

夏琦將簡訊傳出去，然後閉上眼睛，寂靜裡，聽見自己的心跳如鼓。

怎麼連傳個簡訊都能緊張成這樣？她又不是含苞待放的青春少女，也不是沒談過戀愛，怎麼就這麼……等等，她想到自己一直忘了的事是什麼了。

是昨天姊姊請徵信社調查的任冬柏的報告上，寫的五個大字——

戀愛經驗零。

天啊！任冬柏？戀愛經驗零？

不可能吧……

身為才華洋溢的室內設計師，不只外貌性格、身高也高人一等的任冬柏，怎麼會沒有戀愛經驗？就算出社會後工作忙，學生時期也總會有走得近的女同學吧？

她皺著眉頭，猜了很多原因，好比說他對戀愛不感興趣？或者是對對象的要求過高，一直找不到對的人？

忽然，一個猜測出現在她腦海裡，或許……因為他父母的事情，讓他的生活被太多壓力覆蓋，所以沒有心思談戀愛？

這猜想，讓夏琦的心泛起了疼，於是她決定，無論是哪個原因，她都要努力成

為他那個對的人，然後，用豐沛的愛灌溉他，讓他把戀愛經驗值一次補足。

她忽然有了雄心壯志，感覺勇氣注入胸口……但下一秒，她又有些洩氣的想到她傳的不知所云的簡訊……

好丟臉！

✿ ✿ ✿

城市彼端，任冬柏剛忙完一件大案子，是一處度假村的室內設計，投資方約他開會，從下午三點開始的馬拉松會議到剛剛才結束。

剛上車的他還不急著開車，準備先查看手機有沒有什麼重要訊息。

為了展現對這件案子的重視，任冬柏將手機來電轉為震動，簡訊轉成靜音，他想如果是急事，就會打電話來，若是可以稍緩的事情，則會用簡訊傳達，於是他這樣設定，藉以過濾掉不需要立即處理的事情。

拿出手機檢查，先是看了幾封公事上的簡訊，他一一回傳或者回電，接著，下一則簡訊的送件者名字，映入他眼裡。

夏小姐

他不禁微笑了，看見還夾帶照片檔，連忙下載來看，那是一張「向隅」三樓的照片，右下角莫名放著一碗看不清是什麼的食物，然後他閱讀她留下的訊息，不禁大笑了。

這個夏琦……傳的東西莫名其妙呀！明明主旨是想要香草綠的牆面，怎麼重點放在魷魚羹米粉？

但是，魷魚羹米粉好親民啊！他想像她低頭吃著熱呼呼魷魚羹的樣子，又想像她擠在潮濕的街道旁，頂著寒風等待攤販做好那碗魷魚羹米粉的模樣，明明是這樣尋常的小事，任冬柏竟覺得她好可愛。

然後，他發現不久前夏琦又傳了一封簡訊來，他急急閱讀，然後，笑得更開心了。

她說，想向他炫耀她的晚餐很便宜。

她說，不希望她的形象顯得太過奢侈。

任冬柏不知怎地，覺得胸口一片暖洋洋，她的簡訊像有溫度似的，在這雨後的冬夜煨暖他的靈魂，教他因為開了好幾小時會議而疲憊的身體感覺放鬆。

他也跟著回想起今天吃了些什麼？

晚上還沒吃，中午呢？他吃了……知名連鎖排骨便當，一個要一百四十五，看來，他還比她奢侈呢！

於是他低頭，傳了封簡訊給夏琦——

夏小姐，香草綠牆面的事情我會盡力想辦法。至於妳的晚餐，我想妳輸了，我還沒吃，零比五十五元，妳不奢侈，只是我比妳節儉。

接著，他發動車子，好心情的開車回家。

✿ ✿ ✿

這天，是任冬柏預定要來討論設計的日子。

他們相約「向隅」打烊時間，任冬柏驅車前來，停好車後，他帶著畫好的圖走來，輕推開「向隅」的門，先是看見夏琦的背影，正欲出聲叫喚，卻聽見她在說話，這才明白原來她在講電話。

他不想偷聽她講電話，正欲先出門外去避開，就聽見熟悉的內容，任冬柏忍不

住駐足，將她的話全聽了去。

「……姊，我不需要妳教呀！我覺得我跟他最近還不錯……我們每天都有傳簡訊，對啊！我跟他比誰的午餐晚餐比較便宜……」

任冬柏聽著，唇角不禁勾了起來。

這幾天，他跟夏琦都有互傳簡訊，他們拍下各自的三餐，比誰較「節儉」，很好笑，如果是麥當勞或者便利商店的東西，夏琦還會認真地要求要提供發票確認，他從不知道，夏小姐是個那麼有趣的女人。

本來疏離的客戶關係如今已經沒那麼簡單，每天早上起床，他習慣看見她傳來的簡訊，她會說今天天氣如何，以及附上一張她在家裡的早餐，果然是夏新龍的女兒，家裡的早餐之豐盛，讓他望塵莫及，可她將這頓豐盛早餐辯成零元，因為她在家裡吃。

她的認真比拚讓他啼笑皆非，可卻又上癮的一直跟她玩下去。

任冬柏漸漸覺得，怎麼最近腦海裡都是她嬌小身影？一有空檔時，她的笑容就會乘虛而入，甚至偶爾在路上看見身形髮型與她相似的背影，他都會停下腳步確認是不是她。

這摻著甜蜜的心思，好像把他拱到天際，任冬柏覺得這幾天過得好不踏實，心情極佳……

「哪裡幼稚？是，我是暗戀他，但我不用那麼直接告白啊！我有我的方法，姊，我不想像妳一樣……」

任冬柏被她的話鎮住。

他沒聽錯吧？

她說，她喜歡他。

一陣狂喜貫徹身體，從骨子裡浮起一股紛亂的喜悅，任冬柏感覺一陣頭昏腦脹，聽見她說喜歡他，他無法克制的開心成這樣！

夏琦絲毫沒發現背後有人偷聽，抓著電話跟夏嘉爭辯著，夏嘉今天打電話來，就是催促她快點加把勁，不然爸媽很快就要送她相親去！

她噘唇，不滿道：「姊，妳幫幫我嘛！讓爸媽不要一直叫我去相親，再給我一點……」她轉身，看見高大身影，怔住了。

小小腦袋瓜轟地成了一團漿糊，她眨了眨眼睛，聽見電話那頭夏嘉喂喂的叫喚，才回神細聲對夏嘉說：「姊，我有事情，得先掛了，掰掰。」

掛掉電話後，她不得不面對眼前的任冬柏。

他高大的身材好有魄力，那雙凜冽的眼眸正似笑非笑的看著她，夏琦被看得心慌慌，她知道他一定全聽見了。

她想解釋，想假裝沒這件事情，可不知道他聽見多少，又該從何解釋起？

她緊張的吞嚥口水，深吸了口氣後，只能有些無奈的看著他。

任冬柏笑看她紅似火的臉頰，可愛得像蘋果，她無辜的眼睛，眼波流轉，他細看著她絲絲表情，故意不語，想看她怎麼反應。

他們相對無言，對視著卻各自猜想對方心思，時間好像在這瞬停下了，他們眼裡只有彼此，耳朵聽不見其他聲音，氣氛停滯卻摻滿曖昧。

不知道過了多久，夏琦調整好心情，主動開口詢問。「你……」她頓住，深呼吸了下後，再次鼓足勇氣開口。「你……你……」

可惡！又頓下，她閉了閉眼睛，一臉受刑般豁出去的樣子。

這回任冬柏以為她會真的丟出問題，她卻還是你你你個半天，吐不出第二個字，任冬柏被逗笑了，他挑高了眉頭，笑望著她。

她臉蛋更紅了，低下臉，避開他的視線。

他幹麼這樣看她？他的眸光直接得像狩獵的豹，帶著取笑，好像輕易能將她捕獲一樣……

一會兒後，任冬柏總算大發慈悲的打破沈默。「夏小姐。」

她被他的出聲嚇得大驚，連忙站直，原本低著的頭瞬間抬起，緊張的看向他。

「妳是不是喜歡我？」他態度有點跩喔，微揚的下巴，以睥睨姿態看著她。

她太緊張，沒注意到他玩笑般的姿態，以爆紅的臉蛋，輕輕地、輕輕地點了個頭。

他看見她承認了，心口泛起喜悅。

可他很壞，不放過她，故意又問：「從什麼時候開始的？」

夏琦愣了愣，這是在逼她開口嗎？

她張了張唇，卻發不出聲音。

「嗯？」任冬柏催促。

他想知道她是從什麼時候開始喜歡自己的，是從第一次見面？還是之後呢？或者，是最近？

知道她喜歡自己，他很高興，心裡一直是甜蜜蜜的，只想逼出她全部的心情。

「我不知道……」她眨了眨眼睛，好無辜的看向他。「我……讀了你的訪談文章，對你很好奇，就請你設計，然後不知不覺就……」

她覺得很不好意思，好像將自己多年的暗戀在他面前全數攤開一樣，她幾乎感覺自己就像赤裸一樣害羞，連耳根子都紅了起來。

她不知道他問那麼多做什麼，可她也無力主導這狀況，只能乖乖回答。

「妳是說……從第一次見面後？」他好訝異，這麼久了？

她默默點頭，求饒說：「不要再問了啦！」

任冬柏朝她走近，她被駭得連連後退，直至抵到牆面，才無奈的仰頭看著立在自己身前的他。

他臉上的戲謔忽然消失無蹤，取而代之的是滿滿的正經與嚴肅，嗓音泛著淺淺不捨，說：「妳是傻瓜嗎？暗戀一個人，可以暗戀那麼久……」

說完，他猛地張開懷抱，擁住她嬌小身軀。

夏琦被嚇得僵直身體，感覺他熱暖的體溫，以及寬廣的胸膛，親近得傳來陣陣曖昧。

鐵一般的擁抱教她無法思考，腦袋裡只盤旋著他問的話……

妳是傻瓜嗎？

她是嗎？是嗎？

任冬柏很心疼，為她的死心眼心疼，他甚至有一些怨自己沒發現她的心意，光想到她默默愛著自己，就為那封閉的感情心悸。

同時，他也覺得溫暖，原來有個人無私的偷愛著自己。

他輕輕嘆息，聞到她身上的馨香，有幾秒鐘，感覺血液沸騰，尤其是她怎麼這樣嬌小又這樣柔軟，被他如此擁住，好像稍稍用力就會壞掉似地──

「夏琦，妳是個傻瓜，如果喜歡我，怎麼不告訴我？」他語帶不捨，想到先前她送他水晶杯，他還發了一頓脾氣。

她一時不知道該說什麼好，她能告白說喜歡他嗎？他們之前沒那麼熟，她只是普通客戶，她如果亂告白，會造成什麼結果？

她小心翼翼的呵護自己的心情，不急不張揚，只盼著未來某天，他回頭看見自己。

他鬆開懷抱，拉開一點距離，端看她赧紅似火的臉蛋，以及不知所措的神情。

那雙迷人的眼睛水汪汪地閃耀無辜眸光，她輕咬唇瓣，不知道如何是好，彷彿

作不了決定似地，只等待他的安排。

他又能怎麼安排？

任冬柏也在乎這個可人兒，可是他分不清這是什麼感覺，是短暫被她吸引，是一時間的熟悉，還是逐漸習慣簡訊的制約，或者，是真心的離不開她？

望見她的眼裡有絲絲期待，他忽覺沈重，不只是不忍心拒絕她，而是心裡也不願拒絕她。

他可能喜歡她……在弄清楚之前，他該怎麼做？

他忽然想到。「我剛剛聽見妳說妳要相親？」

「可能吧，我爸媽單方面決定的。」她也不知道，爸媽常問起她的戀情進度，她已經推託太久，恐怕過不久就會被安排很多相親約會。

「如果說，我是說如果……」他沈默數秒，才重新開口。「妳跟我交往了，就不用相親了是吧？」

任冬柏很理性，他暫時沒辦法分辨自己的感情，所以他得留住夏琦，不能錯放她。

她被他的話給嚇得說不出話來，他的意思是……她輕皺眉，壓抑心裡泛起的欣

喜，他的話好像沒那麼簡單，似乎是說為了不讓她相親，所以……
這不大對。
她急急開口。「應該是這樣沒錯，可是……」
「那我們交往。」
夏琦呆住。
任冬柏又重複一次。「夏琦？我說，我們交往看看。」
他以為，她會開心得跳起來。
結果沒有，她一臉狐疑，沒有任何開心的感覺，忍不住問：「什麼意思？」
「就是交往看看的意思。」
「為什麼？」她口氣有些急。「為了不讓我相親嗎？任冬柏，我不明白……」
她多年的夢想成真了，但，她卻不覺得開心，交往該建立在誠摯的愛情基礎上，他的提議好像有利益交換……
可是，他又何必在乎她相不相親？
「我是不想讓妳去相親。」他坦承道。「這樣妳就有機會認識其他男人，我不想讓妳去。」

充滿佔有性的話語，讓她的心情稍微放鬆一下，但她還是捕捉到漏洞，抓著他又問：「可是為什麼是為了不讓我相親而交往？交往不是應該互相……」喜歡嗎？

聽懂她的問題，他目光認真的看著她，口氣再誠懇不過。「因為我不知道自己喜不喜歡妳。」

她一聽，心往下沈。

「夏琦，妳很好，我想我該是喜歡妳的，可是，我又不那麼確定，我需要一點時間，所以……」他有些煩悶的說：「或許我這樣很卑鄙，可是我又捨不得放掉妳……」

任冬柏這段話，又讓夏琦下沈的心漸漸恢復溫暖溫度。

他太誠懇，說捨不得放掉她，又說他可能是喜歡她的……她暗戀他多年，聽了這段話，怎能不感動？

都等了那麼久了，再等一下又有什麼關係？

她忽然微笑了，表情有些釋懷地說：「好。」

「啊？」這次換任冬柏反應不過來了。

「我說好。」她甜甜笑。「我們就交往看看。」

他聽懂了，揚起大大笑容，感覺懷裡這小可愛猛地往自己懷裡鑽，她纖細手臂纏上他偉岸身體，皮膚的溫度讓他感覺渾身發燙。

在他懷裡，夏琦好滿足，想像過多少次他誘人的胸膛，都不比一次真正擁抱踏實。

她帶著笑意問：「任冬柏，你要多久才能確認自己的心意？」

他飛快回答：「不知道，我又沒談過戀愛。」

我又沒談過戀愛……

夏琦突然在他懷裡大笑，幾乎要笑岔了氣，笑出了眼淚來。

他不明就裡的問她：「怎麼了？」

「沒有沒有……」她抹去眼角淚水，怎麼也沒辦法把意氣風發的任冬柏，當成一個沒談過戀愛的男人。

戀愛經驗零。

還真的咧！

第五章

高大性格的任先生，承認沒交過女朋友?!

她當然信，但是……很難想像呀！

他外貌突出，身材高大健挺，才華洋溢，是室內設計界亮眼的新秀，當然會獲得很多女人青睞啊！但為什麼……他都沒有試著去交往看看？要說三十多歲、沒交過女朋友、條件又那麼優的男人……怎麼可能？

雖然先前已經透過徵信社報告得知這件事，但她下意識還是認為或許是調查出錯，一場誤會而已。

從他口中得知這件事實在令她發笑，那天不禁當場笑了出來，她還記得任冬柏一臉的不解，先是不明白她為什麼笑成這樣，然後他猜到了，板起了臉孔，黝黑的臉龐有隱隱的酡紅。

他害羞呢！

「小姐？」

因為店員的叫喚，讓夏琦回神，她恍惚的看著眼前的女性笑臉，這才想起自己正在盆景店，今天是「向隅」的例行休假，她想來買盆盆栽回去。

上禮拜看電視，才知道原來風水上來說，要在屋內財位放點招財的物品，除了一些太過專業的擺飾之外，還可以利用植物，如發財樹之類的，但她剛剛看過發財樹，那太大盆太陽剛，倒不如擺盆美麗的蘭花，所以正考慮著要不要搬盆蘭花放在財位。

夏琦對店員堆出微笑。「我再看一下喔！」

她心裡是喜歡剛剛那盆黃色蘭花的，但又抱著可以再多看看的心態，移動腳步往裡面走，店員也沒跟上，被另一個客人叫住，忙著介紹盆栽。

紅的、黃的、紫的、藍的、粉紅的……嫩嫩的花朵映入她眼裡，有些花開得正盛，光是看著就能令人心情很好。

忽地，一抹綠光竄入她眼裡。

眼前有個小盆栽，像是沒有刺的仙人掌，但又較細一些，如同一根根綠色枝條

往上長，枝條尾端有些透明，就像一盆綠色的翡翠，清綠透美。

她一看到就很喜歡，喚來店員，急問：「這是什麼啊？」

店員微笑介紹。「這是綠翡翠，很有個性的植物，很好照顧，也有人叫它『白銀珊瑚』。」

又是翡翠又是珊瑚？

這還不招財嗎？金銀財寶放財位，還怕錢財不滾滾來？

夏琦眼睛發亮，價錢也沒問，就嚷著說：「那我要這個！」

幸好，這盆小傢伙沒很貴，五百上下，她付完錢，抱著盆栽剛走出店面，就接到了任冬柏的電話。

他的嗓音聽起來心情愉快。「妳在哪裡？『向隅』沒開。」

今天他心血來潮，跑到「向隅」找她，沒想到撲了空。

「今天公休啊！」

「那妳在哪裡？」

「我在買盆栽，等等就回去店裡了。」

他口氣有點急。「在哪裡買盆栽？」

她報上地點，聽見他又說：「我五分鐘到，在原地等我！」

什麼嘛……

夏琦不明白任冬柏想幹麼，或者該說，他們才剛開始交往五天，這期間沒見面，都各忙各的，只有每天通簡訊跟電話。

她很想他，但聽說他正忙一個大案子，不敢吵他，於是過著有男朋友卻跟之前相差無幾的生活，這五天裡面，好幾次都覺得有點悲情呢！

她也想出去約會、想手牽手看電影，最近天氣變冷了，她也想兩個人相偎散步，將手插到他口袋，這樣該有多甜蜜？

現在他打了這通不明就裡的電話，莫名其妙指示她在原地等候，她卻連問清楚原因的興趣都沒有，反而……很興奮！

她就要見到他了，還有什麼比這更重要的呢？

因為等個紅綠燈，讓任冬柏足足七分鐘才到。

遲到兩分鐘沒什麼好計較，至少等候的夏琦對這兩分鐘毫無所覺，但任冬柏還是在她一上車後，就煞有其事的跟她道歉。

「不好意思，遲到了一點。」

她呆了幾秒，不大懂的說：「遲到？有嗎？」

「兩分鐘。」

夏琦哈哈笑。「才兩分鐘，我根本沒感覺哩！」

這天很冷，任冬柏覺得夏琦的笑容是溫暖的陽光，映進他眼裡，照進他心裡。

瞧，她穿得多可愛呀？

嫩藍色短羽絨外套、灰色毛線長裙，還戴了一頂酒紅色的毛帽，小小的臉蛋漾著淺淺紅暈，化了淡妝的臉充滿光彩。

「那什麼？」他看了看她腿上的小盆栽，長得有夠奇怪。「妳買的？」

「嗯，很可愛吧？」她笑了笑，獻寶似地跟他炫耀。「它叫綠翡翠，又叫白銀珊瑚，不覺得很厲害嗎？又是翡翠又是珊瑚，好像金銀財寶一樣，一定會招財！」

說到底，就為了招財吧？他淺淺笑，重新將車駛進車道。

他想像她的形容，下了評語。「好像蘆筍。」

蘆筍?!

夏琦臉上三條線，低頭看著懷中的可愛小綠綠，哪像蘆筍？

「哪像啊？我覺得像美麗的綠柳枝，沒想到任大設計師沒有看植物的眼光。」

「本來就很像蘆筍，它不像盆栽，倒像蔬菜，妳沒問老闆這是不是蘆筍的兄弟？有時候不是會改良基因嗎？這說不定就這樣來的。」

「明明就很可愛。」她嘸唇，抬頭看向窗外，好奇問：「我們要去哪裡？」

「墾丁。」

她以為自己聽錯，堆笑回問：「哪裡？」

他回以微笑，語氣堅定。「墾丁。」

「你開玩笑的吧？」

「真的，我現在要開去墾丁。」

其實，是要去墾丁的度假村工作，花半天時間勘察現場狀況，明天順便接回三個妹妹。

這行程本來只有他一個人，但早上他收拾簡單行李時，忽然想到了夏琦。

好幾天沒見她了……

想起她的當下，他才發覺自己很想念她，行動力超強的他直接殺到「向隅」，找不到人，於是透過電話找到了她。

她上了賊船，下不了車了。

「為什麼突然要去墾丁？等等，這是旅行嗎？去墾丁不就當天沒辦法來回嗎？」她拋出一堆問題，神情有些混亂。

她有沒有聽錯啊？這麼突然就說要跑到墾丁，而且他看來不是開玩笑，這……老天，她頭昏了！

「我要去工作，妳就順便跟我一起去玩好不好？台北那麼冷，墾丁是晴天耶！曬曬大太陽多舒服？」他仍然微笑著，神情彷彿已經沐浴在陽光下的舒爽。「對了，明天我還要接我在南部唸書的三個妹妹回台北，可以順便讓妳們認識一下。」

他就是沒來由的想見她，沒來由的想帶她一起去走走，甚至啊，明明明天還要順便接回三個妹妹的，卻也不排斥介紹家人給她認識。

他沒有防禦自己的私人世界，反而有那麼一點期待，讓她走入自己的世界，讓她更認識自己。

出去旅行……這是個好辦法，拋開塵囂與煩人的事，或許他除去工作後能陪伴她的時間只有今天晚上，但這也足夠令少有私人時間相處的他們滿足了，任冬柏是這樣想的，或許，經過這晚上，他能更確認自己的感情也不一定。

聽見晴天兩個字，讓夏琦有些嚮往。

這個冬天不知道怎麼搞的，每天都在下雨，就算沒下雨的日子，也是陰沈的大陰天，她覺得自己都快發霉了，確實很懷念溫暖的陽光。

當然，她也沒漏聽他說要介紹自己給他妹妹認識，她既期待又興奮，還帶著點緊張……

他補充道：「不過，畢竟妳還要開店，如果妳堅持不去我也可以接受。」

夏琦遲疑著，沒有回答。

她想去，很想去，雖是突然的小度假，雖是陪伴他工作而已，她還是想去，不光是為了墾丁的陽光，還為了跟親愛的人共度美好時光。

況且，還能認識他的家人，這讓她開始期待，還覺得他們之間的交往好像更進一步了。

「如何？」他以指敲了敲方向盤，希望她願意去。

雖然此行是為工作，但還是有時間可以跟她逛逛大街、一起吃點當地美食，還能在海邊吹風聊聊天。

他知道自己太衝動，什麼也沒問就跑來找她，且半逼迫的讓她上了車，所以他

願意給她選擇的機會，要她自己決定——跟？或不跟？

她抿了抿唇，終於深吸口氣，說：「我想去……」

她放軟嗓音帶著無法下決定的脆弱，她說「想去」，卻又不說「要去」，任冬柏嘆了口氣，順水推舟說：「如果妳想去，那妳想一下『向隅』要怎麼辦？」

他故意拋出問題，目的是要她解決，然後無包袱的跟他一起走。

她聳了聳肩，不覺得這是個問題。「休息一天就好啦！」

他聽了，揚了揚眉。「也對，明天我們就回來了。」他亮出了微笑說：「那我們走吧！」

明天？她又慌了，腦中跳入一堆問題。

「可是我沒帶換洗衣物，任冬柏，這太突然了，不然你讓我回家拿行李？」她看了看窗外，發現車子已經準備上高速公路，又有點急切的推翻自己的說法。「算了，墾丁總有地方可以買衣服吧？買個T恤什麼的……」

他聳了聳肩。「當然，而且妳穿那麼厚，那邊熱多了，買件短袖T恤也很正常。」

他理所當然的語氣讓夏琦好錯愕，她不知道，看似穩重能幹的任先生，原來個

性裡充滿衝動，擁有自由的靈魂。

可她不是啊！她去哪裡都要先查好地圖、訂好飯店，就連遊樂園的票都會請旅行社先代買。

突然，她又覺得好彆扭，她什麼也沒帶，現金只有一千八，手機電力剩七十趴，腿上還有一盆剛買的綠翡翠！

嗚……她從沒做過這樣的旅行，好像太刺激了啊……

✿ ✿ ✿

冬天的墾丁，只有兩個字可以形容——「溫暖」。

久違的溫暖教剛下車的夏琦忍不住勾起笑容，她站在車邊伸了個懶腰，剛剛在車上的慌張已經不復見。

既來之，則安之。

雖然這行程突然到差點讓她心臟病發，但一路上，經過幾個休息站，他們下車逛逛，這經驗都讓她覺得新鮮。

好比說，在仁德服務區，她發現便利商店竟然有賣網路名產依蕾特布丁，之前

姜姜曾買來給她吃過，能在便利商店看到真是新鮮，她買了三種口味上車，讓任冬柏也嚐嚐。

他嫌太甜，吃一口就敬謝不敏，她哈哈笑，想到在咖啡店那回，自己怕咖啡苦而皺起的臉一定跟他這模樣差不多，他吃到甜的也是一臉想吐，性格的臉龐瞬間皺了起來，有夠好笑。

從小到大，她鮮少離開台北市，偶有家庭旅遊也是搭機出國，這樣台灣南北跑倒是第一次。

他們大概是早上十點從台北出發，到墾丁時已經傍晚五點多了。

「我等一下跟客戶有約，晚餐我幫妳叫room service，我會跟客戶在外面吃，等我回來再帶妳去逛逛。」他邊說邊走向飯店櫃檯，夏琦跟在後面，看見他手提一個小型旅行袋。

她嘟起了嘴。「你自己都有準備衣服。」

他偏過臉來，看見她的表情，微笑了。「等我回來再帶妳去逛墾丁大街，那邊很熱鬧，一定買得到妳的衣服。」

她沒回話，心裡不禁幻想起很多情景，跟他去挑衣服？這是沒什麼關係，但她

還得買貼身衣物吧？這……多害羞啊？

一想到，她就臉紅紅，越想越不對，直到兩人進了房間，她還是一臉若有所思。

注意到她不專心，他放下行李後站到她面前，居高臨下的看著這個可愛的女人，看她表情怪異，一下努唇一下皺眉，還不時唉聲嘆氣，看著看著，他忍不住出手捏了捏那可愛的臉頰。

她啊一聲，對上他笑意滿滿的眼睛。

「在想什麼？」

「沒……有。」嗚，她說不出口。

「是喔，想得這麼入神還說沒有。」他壓根兒不信。

她不答，看了看房間，問：「我的房間呢？」

「妳沒有房間，夏小姐，我們是情侶，我們住同一間。」他原先就只訂了一間房間，臨時起意帶她下來，也無意再多加一間。

她的小臉瞬間爆紅。「話是沒錯啦……」

「不願意？」他低首看著她，觸在她臉頰的手從捏轉為輕撫。

他粗糙的指一下又一下刮著她臉頰，她的臉因此更紅了，對上他帶著戲謔的眼睛，忽然怒了。「你是不是騙我啊？你這樣子怎麼可能沒談過戀愛？」

他聳了聳肩。「這是本能。」

他看她可愛，想摸摸她的臉，錯了嗎？

她覺得很緊張，本能？該不會晚上他們睡一間，他也會出於「本能」，對她怎麼樣吧？

不行不行，這太快了，他還沒確定是真的喜歡她呢！怎麼可以進展這麼快？思及此，她連忙說：「再幫我加一間房，我自己付錢！」

任冬柏看出她的顧慮，但他看見她臉上的緊張，不禁覺得有趣，這個緊張兮兮的夏琦格外吸引他，他想逗她。

他揚了揚眉毛，看起來似乎有點驚訝。「妳放心，我不會對妳怎麼樣的。」

這點他可以保證，在他還沒確定自己心情之前，是不敢亂做什麼的。

他這個聲明讓她安心，卻也沒來由的讓夏琦有些失望，好像自己沒魅力似的，又好像提醒她他還沒確定心情……

她垮下肩，隨便對他甩了甩手。「你不是還要找客戶嗎？」

聞言，任冬柏看了看錶，時間的確接近了，他再看了一眼悵然若失的她後，說：「那我先走了，妳等我回來。」

「嗯。」

任冬柏走後，夏琦打開電視，趴在雙人大床上無所事事。

她的小腦袋不休息，滿腦子都是有關任冬柏的事情，讓她看電視也無法專心，睡也睡不著。

她在想，不知道他要多久才能知道自己的感情？不知道要多久他們才能真正的相愛交往？

她會等，也願意等，但又好想快點知道結果。

如果他最終答案是不愛她，她會死心、會放棄，因為已經試過了，她沒理由再死纏爛打，即使這會令她心碎。

她但願，結果是好的……

晚上九點，任冬柏終於回到飯店。

剛剛他順便跟客戶打聽了墾丁大街上有哪家一定要吃的店，準備等等帶夏琦去

吃。

以磁卡打開房門，沒有意料中她會有的招呼，反而，整個房間空無一人。

他有些愣住，隨之而來的是緊張，接著他撥打她手機，直到電話那頭傳來她的聲音，他才稍稍放了心。

「妳在哪裡？」任冬柏聽見她那邊的背景聲音非常吵鬧。

「我在逛街啊！」她的口氣一副理所當然。

「我不是叫妳等我嗎？」

她頓了幾秒，有些委屈的說：「我會無聊啊……」

事實上，是想到要跟他一起挑衣服就緊張到胃痛，才會在吃過晚飯，問了飯店人員到墾丁大街的方式後，選擇了最容易的搭計程車，一個人來逛墾丁大街。

聽見她喊無聊，任冬柏的不悅感消了一點。「妳在哪裡？我去找妳。」

她跟他描述地點，然後站在原地等了二十分鐘後，任冬柏終於來了。

一看見夏琦，任冬柏嚇了好大一跳。

她穿著胸前印了「有夠水」三個大字的白色短袖T恤，灰色毛線長裙換成牛仔七分褲，足趿橘色夾腳拖鞋，原先的禦寒衣物全沒了，換上一身很有台味的夏天裝

扮。

他看著那件T恤上面的字很久，久到夏琦臉上從薄薄的紅暈到染上不悅，她用手環胸，想擋住上面的字，說：「不要一直看啦！」

「T恤很酷。」他忍不住勾起唇角。

「很醜喔？」她有些無奈。

「不會，我覺得很特別。」尤其是穿在她身上，這衝突感令人感覺更特別。

夏琦嘟了嘟嘴，拉著他一起逛起熱鬧的墾丁大街。

晚風徐涼，撫上他們臉龐，他們處在熱鬧人群裡，每一家鮮奇小攤夏琦都有興趣，她逗留詢問，任冬柏靜靜在旁等候。

夏琦看上了一頂繫著粉色絲帶的草帽，一頂才兩百五，他本要掏錢結帳，卻見她開始跟老闆殺價了起來。

她表情無辜。「老闆，可以算我便宜一點嗎？我從台北來，很遠捏。」

雖然從小她家境富裕，但這不代表她不殺價喔！自從自己開店之後，很多地方都需要計較，尤其是到國外拿貨、簽約時，就要靠一來一往的談價格來確定賣價，這也是殺價的一種。

後來，她開始會殺價，尤其是在路邊攤跟一些小店。
「只能算妳兩百三啦！」
「兩百好不好？我沒帶什麼錢就被帶下來了，拜託！」事實上，她正好只剩兩百五，心想買了草帽後，剩五十可以買杯飲料喝。
旁邊，任冬柏忍不住發笑，這是在藉機抱怨他的突然起意嗎？
「沒帶什麼錢還敢來逛喔？兩百沒辦法啦！」老闆頗堅持。
夏琦皺了皺眉，這頂草帽不僅便宜，而且樣式她很喜歡，想了想後，她不再殺價，決定買了下來。
她本來想掏自己的錢，但任冬柏阻止了她，順手替她結了帳。
他們走在一起，夏琦將草帽戴上，歪著頭對他問：「好看嗎？」
她這表情真可愛，任冬柏感覺心口熱起。「當然好看。」
「真的嗎？」她摸了摸帽簷，沒什麼自信。
他以斬釘截鐵的語氣回道：「真的。」
他邊說，邊輕輕牽起她的手，晚上還戴著草帽的她一點也不怪，在他眼裡，她怎麼樣都可愛。

她牽唇微笑，忽然停下腳步，笑看他。

「怎麼了？」他揚揚眉，低頭看嬌小的她微歪著頭，臉上淨是笑。

「你答應我一件事。」

「什麼事？」

「我都被你拉到墾丁來了，你看我多聽話啊？你也聽我一件事，好不好？」這交易很公平吧？

通常，會使用這種方法拗人答應的，都不會是那麼容易達到的事，任冬柏想了幾秒鐘，下了但書。「傷天害理的事情我不聽喔！」

她愣了一會兒，隨即格格笑起來。「怎麼可能讓你做傷天害理的事情啦！」他很幽默喔！「其實是，我剛剛也替你買了一套跟我一樣的衣服，登登！」

隨著她的「登登」，從她手中提袋裡蹦出來的是另一件「有夠水」T恤，以及一雙大號的黑色夾腳拖鞋。

「給我穿？」他臉上三條槓。

她嬌笑。「你沒讓我有機會準備行李，就得陪我穿。」

陪她穿?!他沒說話，只是反覆盯著她手上的T恤及拖鞋。

「我想跟你穿情侶裝。」她再催促，臉有點兒紅。

原本身上的一千八，現在只剩下兩百五，除了用在計程車錢，還花在兩件T恤跟兩雙拖鞋，及她身上的褲子上。

她不甘一個人穿那麼「特別」，玩心一起，硬要拉他下水。

「拜託……」她拉著他手臂的衣料，無辜的看著他，美麗眼睛裡充滿懇求。

任冬柏忍不住心軟地答應了，唉，反正這邊也沒人認識他，就讓她高興一下沒什麼關係吧？

他找了公廁換上衣服，著裝完成後走出來，等在外面的夏琦一看，愉快的放大笑容。

「好看！」她豎起大拇指。

「最好是。」

「本來就是。」她主動牽起他的手，握在手中搖啊搖的，像兩個攜手放學回家的小學生，就差沒一路唱兒歌。

月光下，熱鬧的墾丁大街上人來人往，但任冬柏眼裡卻只有身邊的夏琦，她搖頭晃腦的走著，對什麼都好好奇，草帽遮住她大半張臉，從他的角度，只能清楚看

見她櫻色的唇瓣，如誘豔的果實，看得他心火難耐。

她小小聲的說：「在我眼裡，你怎麼樣都很好看呀！」

雖是小聲，但仍被他聽見了，他緊緊回握她的手，心口很熱，想起她暗戀自己三年，他不知道自己哪裡吸引她了？可當她這樣理所當然的說——在我眼裡，你怎麼樣都很好看呀！他覺得很感動。

她的愛，是一種接受，全然接受他各種面貌，傻乎乎地、理所當然地，說怎樣都好。

他想，他怎樣都好看？才不是呢，是她透過愛來看，才會怎樣都好看。

忽然，旁邊傳來夏琦的輕唉。

「唉唷！」她停下腳步，看著帶子斷掉的橘色夾腳拖鞋。「好爛喔！怎麼那麼快就壞了？」

任冬柏蹲下身，看著她白皙的腳丫子，被粗糙的夾腳拖鞋磨出紅痕，右腳那隻鞋，已經報銷不能穿了。

他站起來，二話不說的脫掉自己的鞋，赤腳站在路面上。

「穿上。」

她愣住，狐疑的看著他。「那你穿什麼？」

「穿上就是了，要我幫妳穿嗎？」他作勢蹲下。

她連忙穿上，嘰嘰喳喳的又問個不停。「任冬柏，你把這給我穿那你穿什麼啊？欸欸，你不能這樣光腳走路啊！路面很髒，而且柏油路會刺腳欸！」

他斜看她一眼。「妳搞笑喔，我的鞋剛剛不是換下來在妳那嗎？」

她的臉瞬間爆紅，把袋子裡的鞋還給他穿，然後同時在袋子裡發現自己剛剛也是有穿鞋子出來，她拿出自己的鞋，在他面前晃了晃。「你才搞笑，我自己也有鞋，你幹麼讓給我？」

任冬柏看著她的那雙鞋，被她故意揚在眼前晃晃，然後她的笑容有些得意喔，他的臉，浮上尷尬的紅。

是因為只想到她的腳、擔心她沒鞋穿，所以很快獻出自己的鞋，忘了她也還有一雙鞋。

她笑睨他臉上的不自在，心裡很溫暖，他們都關心彼此，都擔心對方。

剛剛他脫鞋給她時，她看見他眼裡的溫柔，這被重視的感覺讓她感動，忍不住說：「任冬柏，你真好。」

這淡淡的一句話清楚傳入任冬柏耳裡，他感覺心像被她的這句話融化，只覺一陣暖洋洋，她啊……怎麼說話都不害羞的啊？

但他好像……也滿喜歡聽的。

第六章

夜裡，他們各佔雙人大床的一邊，都睡不著。

微弱的月光從沒完全拉起的窗簾邊邊洩入，映在床底一角，拉出三角形影子，昏暗如畫。

兩人背對著背，蓋同一條棉被，一室寂靜，只有輕淺的呼吸聲提醒他們房裡還有另一個人。

任冬柏睡不著，他知道夏琦也沒睡，這小女人從剛剛到現在一直動來動去，被子不斷被她拉動，很是惱人。

剛才入睡前，他們曾經討論要不要再去要一條棉被，但她說不用，他也就沒再說什麼，或許是彼此心裡都想著蓋同一條棉被的親暱，但又同時被這親暱給煎熬著，一起失眠了。

「夏琦。」任冬柏開口。

「啊？」很緊張的夏琦被他突然傳來的嗓音給嚇到。

她哪睡得著啊？心愛的男人就在旁邊，她怎麼也放不下心安然入睡，雖然眼睛是有點累了，但又怕自己睡相很差，還有，因為今天太疲累，她該不會打呼吧？

No！淑女可不會打呼，以防萬一，還是等他先睡著再說。

「妳不要動來動去的。」他翻過身正對她的背，隱隱看見她嬌纖的背，她一樣穿著那件白色T恤。

她跟著翻過身來，與他對視，黑暗中，只隱約感覺他的目光。「我睡不著，我認床。」她說謊，其實不是認床。

「我也睡不著。」他也說。

她調整了一下枕頭。「那我們來聊天，說不定聊一聊就睡著了。」當然，她打的主意是聊到他睡著，她一定要比他撐得久。

他欣然同意，主動開啟話題。「妳喜歡我哪裡？」

這問題太直接了喔，夏琦被問到語塞，臉紅到連耳根子也燙起。

沒聽見她回答，他又說：「我一直想知道，三年不是很短的時間。」

他不覺得自己有什麼優點值得讓一個人暗戀那麼久，他想不透。

「三年不久……」她口氣柔柔地從黑暗裡傳來。「我覺得好像才一下子，根本就不久。」

「我覺得很久，暗戀一個人，對我來說，半年就算久了。」

她的笑聲傳來。「你不是沒談過戀愛？」

「但不代表我不能有感情觀，OK？」

「任冬柏，你真的沒談過戀愛？」她微笑，語氣帶著疑惑以及淡淡的戲謔。

「我會拿這種事來開玩笑？」他急切地說。「對男人來說，這是很丟臉的吧？」

「但為什麼？」她皺了皺眉，口氣正經。「為什麼你沒談過戀愛？特別抗拒嗎？還是有什麼……難言之隱？」

他哼了一聲。「妳還沒回答我的問題。」

她喔一聲，從被窩裡找到他的手，輕輕握住。

他的大掌傳來熱力，源源不絕地讓她感覺得到一股支持的力量，好像只有這樣，她才有膽說出口。

「是因為你的專欄文章……」她從最初開始講起，從專欄文章講到他第一次為她設計後，完工時的對話。

「所以，妳到底喜歡我哪裡？」他有聽沒有懂。

她說，因為他的訪談文章引起她挑戰心理。

她說，她喜歡他的設計。

她說，是看見了他說也滿意自己設計時，眼裡的光彩奪目。

然後呢？

他不明白。

她閉上眼睛，回想他那時亮起的笑容。「我喜歡你的笑容……你知道嗎？第一次看到你時，覺得你很凶悍，後來看到你的笑容，卻反差很大，你的笑容很溫柔，我還記得，我看呆了，然後，你的笑容就在我的心裡住下了。」

住下？他喜歡這個形容。

於是他勾唇淺笑，移動身體靠近她，張開了懷抱，將她抱在懷裡，這樣才舒服。

「一住就住那麼久？」他聞到她跟自己身上一樣的沐浴乳香味。「如果，有人

的笑容比我還溫柔，妳也會讓他住下嗎？」

他不知道自己為什麼會這樣問，可能是潛意識裡，怕會出現這樣的一個人。

「才不會。」

「為什麼？」

她開玩笑。「心裡只能住一個人這是常識吧！」

夏琦被困在他懷裡，那寬闊的胸膛跟她的柔軟相比，如石般堅硬，這小小空間，讓她感覺到他溫熱的鼻息，能清楚聽見他的呼吸。

她的臉紅透了，幸虧有這片黑暗，不然多害羞？

她提醒他。「該你回答了。」

「就沒遇到喜歡的人，就這樣。」他答得簡短。

「那你喜歡怎樣的人？」她好奇的追問。

懷裡的她柔軟嬌小，任冬柏感覺身體很緊繃，感覺心跳快起來，感覺口乾舌燥，感覺快要無法思考……

他要怎麼回答？

他不想回答。

只想抓著她，堵住那張愛問東問西的小嘴。

沒聽見他的回答，她疑惑再問：「任冬柏？」

忽地，感覺他的懷抱收緊，她心跳逐漸紛亂，因為感覺他的鼻息逼近，帶有壓迫感的男人氣息逐漸籠罩她……

他停在她唇上不到三公分的距離，緩道：「可能，喜歡像妳這樣的人……」

她微愣，看見他逼近的眼眸，啞然地說不出話。

他靠這麼近，是不是想……親她？

任冬柏的大手游移到她腰後，輕輕將她往他身上一帶，兩具身軀瞬間貼近，她迷人的柔軟讓他幾乎要醉了。

他再次俯下唇，輕輕地貼上她的唇瓣。

這是一個吻。

「我是第一次。」他在她唇上呢喃。

她啊，聽見這句話，有點想笑。

正想笑時，他卻如電般掠奪她的氣息，深吻她，她感覺天旋地轉。

第一次？不像啊……

或許他當真天賦異稟，男人的本能讓他自然地就會接吻，讓她被吻得幾乎無法呼吸，由他傳來的氣息，充滿男人味，讓她無法思考。

他的舌很是調皮，纏著她的，逗弄、輕撩……她本能的回吻他，小手抓住他胸膛的T恤布料，倚靠他的強悍，支撐她化為一灘水的身體。

任冬柏停下親吻，鬆開壓著她腰後的大手微喘著，就著微弱月光，看見她混亂的目光。

他微笑，摸了摸她的唇，看不大清楚，但感覺好像有點腫，他用拇指摩擦她的唇瓣，忽地，感覺某個靈動的東西滑過他拇指。

「妳舔我？」他笑了。

她沒說話，抓下他置於自己唇上的手，湊過唇去，主動親吻他。

夏琦將他抱得很緊，她很熱情，他只愣了一秒，就接手她的熱情，反覆熨著她的唇。

她的手偷偷探入他衣服裡，摸上剛硬的腹肌，他身體一陣緊，面對她的挑逗，沒把握能把持得住。

「不行。」他抓下她的手，在她唇上喘息。

她微愣，有些訝異他的拒絕。

她愛他，而且三年了，好不容易走到這一步，她願意主動，讓他們屬於彼此。

他卻只是緊抱住她，將下巴擱在她肩膀，聞著她的髮香，說：「太快了，夏琦。」

他覺得還不是時候，在他還沒能完全確定自己真正的心意前，不能輕易跟她更進一步。

任冬柏深深呼吸，平復不穩的氣息後說：「等我確定自己的心意後才能進行下一步，現在做了，感覺不夠珍惜妳。」

不夠珍惜她？

夏琦聽見這句話，瞬間熱淚盈眶。

這話不只動人，還牽動她情緒，她沒看錯人，任冬柏……很正直。

這樣很好。

她將臉埋在他胸膛，不讓他發現自己掉眼淚，輕聲說：「謝謝。」

他聽見了，沒特別回應，只說：「睡吧。」

這個夜晚，他們相擁入眠。

他們環抱彼此身體，聞著對方的體香，同睡一張床，兩顆心更靠近了。

早晨，夏琦先醒來，身旁的男人猶在沈睡中，大手擱在她腰際，有點沈。

她把他的手拉開，坐了起來，然後側過臉，注視他熟睡的容顏。

從他粗濃的眉、緊閉著的星眸、挺直的鼻梁，到緊抿的薄唇，然後，目光往下，看向那堵厚實的胸膛，隨著他呼吸一下又一下地起伏。

她調皮的伸手抵在他人中，他的鼻息觸在她指上，然後，她看見他皺眉，她轉而輕掐他鼻尖，沒注意到他已經醒來，偷偷舉起大手往她的手……打、下、去。

她揚眸，看見他渴睡的眼睛正盯著自己，她於是亮出笑容。

「想謀殺我啊？」他打了個哈欠，也坐了起來。

夏琦故意亮出自己剛剛被他打的手，上面有很淺的紅印，她嘟唇道：「你才想謀殺我。」

他看著她嘟起的唇，俯身印上一吻，舉動自然得好似每天早晨都要用一個親吻道早安。

「睡得好不好？」他摸摸她臉蛋，又揉揉她的軟髮。

她點點頭，又軟軟的賴在他身上，雙手攀上他頸項，像嫌剛剛一個吻不夠似地，主動又獻上一吻。

她就如愛玩的貓，輕舔他的唇，懶洋洋啃咬，然後在他唇上微笑。

他被逗得心癢，抓下她的手，緊握住纖細手腕，拉開一小段距離，望著她氤氳情慾的眼眸，說：「我們該走了。」

「現在？」她看了看床頭的電子鐘。「才六點二十。」

「還要去接我妹妹，她們在高雄。」他下了床，站直了身體，伸了個好大的懶腰。

她歪著頭，腦袋還有點不清楚，被他說要去接妹妹這句話給大大驚醒，當下怔住。

差、差點忘了，要見他的妹妹們，好緊張啊！

任冬柏走到窗前，唰地拉開窗簾迎入陽光，還發著懶的夏琦終於肯下床。

她走到他旁邊，抓了抓他手臂。「你妹會不會很難搞？」

「哪一個？」他問。

「全部。」她咬了咬手指，顯現她的緊張。「突然要見你妹我好緊張……」

「有什麼好緊張的？」他掐了掐她臉頰，走到電視旁邊，把手錶戴上。

她跟在他後面，停在他旁邊，像隻小麻雀般嘰嘰喳喳的說：「換作是你，突然叫你跟我回家見我爸媽，你不會緊張？」

他停頓幾秒，認真想了一下她的問題。

「可能……會吧！」他懂了，她會緊張，是因為在乎他，所以希望在他家人面前有好的第一印象。

他也是，他也在乎她，也希望她家人能喜歡他。

任冬柏點點滴滴的發現，很多時候，他也跟她有一樣感受。

如果說，她愛他，那是不是同理可證，他也愛她？

他分不明白，喜歡跟愛、在乎與需要，這些糾纏的感情，有輕有重，哪個才是世人口中說的非她不可？

他看著緊張的夏琦，她忙著在鏡子前面梳頭髮，一下想將頭髮綁起來，一下又鬆手任頭髮垂在胸口。

他喜歡她為自己緊張的樣子，好像有關他的事情她都沒辦法馬虎，他奪下她的梳子，對她微笑。

「我喜歡妳把頭髮放下來。」

她臉紅了，因為他說「喜歡」，她以手順了順髮尾，決定就聽他的！

任冬柏的三個妹妹全都綁馬尾，一模一樣的臉龐、一模一樣的馬尾，差不多的打扮，都是短袖T恤跟牛仔褲，以及一樣活靈活現的眼神。

她們看見任冬柏的車上有女人，三雙眼睛一起瞠大，站在路邊呆看著夏琦，說不出話。

「快把行李搬上來啦！」任冬柏打開後車廂，催促她們。

大妹任筱蘭最先回過神。「哥，她是誰？」

他淡看筱蘭一眼，看見妹妹眼神中的驚異，他倒是見怪不怪地回答。「女朋友。」

他坦率的答覆，以免這幾個丫頭又東問西問，麻煩！

夏琦乘機跟她們打招呼。「妳們好，我叫夏琦。」

跟夏琦打過招呼後，二妹任筱蓮哇哇大叫。「你有女朋友啦？什麼時候結

婚？」

夏琦聽見她提起結婚，心頭一陣亂，有沒有這可能都不知道，照任冬柏的戀愛節奏，可能明年她才能知道他愛不愛自己，然後……才敢想下去。

任筱蘭接著說：「哥，我們都想看你快點成家耶！你動作快點，我們才放心啊！」

還放心咧！任冬柏瞪她們。「別亂說話，快給我上車。」

任筱蓮跟任筱蘭上了車，殿後的小妹任筱薔將行李袋交給任冬柏後，走到夏琦旁邊的窗戶，盯著夏琦的臉看。

「怎麼了嗎？」夏琦被看得有些不自在。

任筱薔又看了幾秒，才淺淺一笑。「大嫂，妳長得好可愛，搽什麼牌子保養品？」

夏琦後面的筱蓮也跟著說：「對啊，大嫂，妳皮膚好白，用什麼防曬？」

筱蘭跟著把手伸到夏琦面前，問：「大嫂，妳看我的手，上體育課曬出斑來了，怎麼辦啊？」

這三個丫頭，左一聲大嫂、右一聲大嫂，夏琦被喊得樂陶陶，她感覺有種使命

感從胸口湧出，好像得跟任冬柏一起照顧這三個妹妹一樣。

她揮揮手，說：「我還不是大嫂啦！」

「以後就是啦！」三胞胎異口同聲說。

這時，任冬柏關上後車廂，走回來進入駕駛座。

他看見夏琦一臉高興，臉頰染著淺淺紅暈，後座三個寶貝妹妹則是衝著他賊兮兮的笑。

「妳們三個笑什麼？」他發動車子，將車駛入車道。

筱蓮聳聳肩，賣關子說：「不告訴你。」

「不講就不講。」任冬柏也懶得理她們，他轉跟夏琦說：「她們很吵吧？」

夏琦搖搖頭。「她們都很可愛。」

筱蘭插話。「大嫂比較可愛，長得好像娃娃喔！」

娃娃？任冬柏笑了。

夏琦的長相，的確是很像可愛的娃娃。

回台北途中，經過休息站，任冬柏將車停了下來，稍作休息。

任冬柏去廁所的空檔，夏琦跟三胞胎在車上聊天，三胞胎很健談，不怕生，夏琦跟她們很聊得來，本來還有點緊張的她，見到這三個單純的小女生，一點也不緊張了。

筱蓮歪著頭，說：「所以是大嫂先喜歡我哥的？」

她們大嫂大嫂的叫，夏琦起先還會糾正，到後來，乾脆不糾正了，反正也沒用。

夏琦白皙臉頰浮上紅暈，她淺淺點了一下頭。「嗯。」

筱蘭問：「不覺得我哥看起來有點凶嗎？妳喜歡我哥哪裡？」

夏琦微笑，昨天任冬柏也問過一樣的問題呢！

「我喜歡他的笑容，看起來很溫柔。」

筱蓮點點頭，忙說：「對啊！我哥真的很溫柔，別看他外表強悍，其實心腸滿軟的！」

筱薔接著說：「我哥真的很棒，以前我們住在親戚家時，哥常主動找我們一起出去見面聯絡感情。我們常常聊到，如果沒有哥哥，可能現在我們是不熟的三胞胎，每年過年才會見到面的那種。」

「大嫂，我哥是好人，妳不會欺負他吧？」筱蘭有點擔心。

今天是第一次見到夏琦，她只覺得夏琦個性真誠、很好相處，但她常看電視，現在男女談戀愛都很速食，有時不是真的很愛也可以在一起，她怕哥哥受傷。

明知道口頭上的保證不一定有用，筱蘭還是要這麼問，至少，如果夏琦願意答應，可以教她放心一點。

夏琦微笑，眨了眨眼睛。「他不欺負我就好嘍！」

她愛他，怎麼可能會欺負他呢？

她多希望他快快釐清心情，跟她正式談戀愛！

筱蓮說：「因為哥哥沒有談過戀愛，這次他有女朋友了，我們都很興奮，大嫂，妳知道嗎？我哥一定沒有意識到他其實很挑，才一直交不到女朋友。」

「但他終於挑了妳，大嫂，妳一定很好。」筱薔微笑，她不擔心眼前這個夏琦會傷害哥哥，因為，是任冬柏自己挑的，她相信哥哥挑的一定好。

夏琦聽了這句話，突然覺得勇氣倍增。

不可否認，她一直是擔心的，擔心有天任冬柏會說他分清楚了，明白自己其實不愛她……可這刻筱薔這麼說，她忽然對自己有了自信，彷彿一切不是偶然，她會

愛上任冬柏，以及任冬柏會選上她，都是因為他們彼此各有優點。
而這些優點，吸引他們接近。
她微笑，看著不遠處正走過來的任冬柏，陽光下，他戴著墨鏡，健壯的體魄、黝黑的膚色，像美國電影裡出現的帥氣軍官。
她真的……好愛他。
因為愛他，所以願意等他，等到……心都痛了。
她在心中祈禱，有結果的那天，可不可以快快來？

第七章

「當家」室內設計工作室的尾牙在一個陰雨綿綿的星期五晚上舉行，小惠姊提早訂了一家隱密且高級的私人會館，為了慰勞辛苦一年的員工，還準備了豐富的獎品。

任冬柏向來不熱衷這種熱鬧的活動，比起捲起袖子興致勃勃一定要抽中大獎二十萬元百貨公司禮券的阿昆，他則是老神在在的窩在桌邊一角，慢慢吃著豐富的菜色。

任冬柏偷偷把自己正在吃的魚翅佛跳牆拍照傳給夏琦看，過沒兩分鐘，她回傳一張照片，是吃到一半的大腸包小腸。

他看著，勾起唇角笑了起來。

她莫名熱愛小吃，跟他比拚的三餐，除了早餐之外，午餐跟晚餐十次有八次都

是附近小攤買得到的菜色。

從另一個角度看來，夏琦已經成功塑造自己「節儉」的形象，至少，他吃得比她好太多。

「我一定要抽到禮券！可以拿來買結婚要用的東西。」阿昆搓著手，在他旁邊說。

「祝你好運。」任冬柏淡淡道，手還忙著回簡訊。

「你在幹麼？」阿昆注意到他的動作，湊過頭去，看不清楚螢幕內容，但知道他在打簡訊。「傳簡訊？」

任冬柏沒否認，也沒回答。

「你最近怪怪的喔。」阿昆皺著眉回想。「我發現你最近好像常常玩手機欸！是不是都在傳簡訊？」

任冬柏還是沒回答。

阿昆問：「啊你有女朋友了喔？」他站起來，叨叨唸著。「很見外欸！有女朋友也沒說喔……啊，輪到我抽獎了！」

阿昆去抽獎了，周遭清靜許多。

任冬柏傳出簡訊，將手機重新收進口袋，看著前方的阿昆沒抽到大獎，只抱回一個電鍋，他一臉失意地走回座位。

下一個，該任冬柏。

他走到前面，跟小惠姊寒暄幾句，隨便一抽，竟是大獎。

有幾秒鐘，台下一片鴉雀無聲。

接著，隨之而來的是恭喜祝賀聲，以及捶胸頓足聲，任冬柏這才反應過來，自己竟然好運的中了二十萬的百貨公司禮券！

下一秒，他想到夏琦。

二十萬，他可以跟她去逛街，買些她喜歡的東西，可能是名牌包，也可以是衣服，再買些好吃的，唔，但他不確定夏琦會喜歡吃什麼，畢竟她家境富裕，什麼沒吃過？乾脆帶她一起去逛逛，她想吃什麼就由他來付帳，再順便肩負廚師大任，為她烹調出美味食物。

這禮券太多用處了，可怎麼他想到的用途都是跟她有關，都是討好她，都是想送她禮物？

他恍恍惚惚的回到座位，旁邊同事的祝賀如排山倒海而來，有人拗他請客，有

人連聲羨慕，他卻沒回應，滿腦子只想著要跟夏琦講，他想知道她有沒有缺什麼、想要什麼？

尾牙結束，不喝酒的任冬柏負責送幾位醉得亂七八糟的同事回家後，一個人開車回到自己的家。

他在公司附近租屋，老家則在新北市，接三個妹妹回來後，三個妹妹住新北市老家，他要等到過年才會回去。

位於三樓的小公寓，是他一個人的地盤，跟夏琦交往後，這地方有點不一樣了。

那天她帶去墾丁的綠翡翠最後進了他家。

從南部回來後，她把綠翡翠放在車上忘了帶走，他乾脆先把它帶回家，後來他說要拿去給夏琦，夏琦卻在電話裡說——

「唉唷，我以為忘在墾丁了，隔天馬上又買了一盆耶，乾脆就放在你家好了，反正招財嘛，而且……」她呵呵笑，語氣有點羞意。「我們一人有一盆，感覺很不錯呢！」

他將綠翡翠擺在電視旁邊，小小盆植物一天一天長高，有時晚上回家，疲憊的

他洗完澡後，窩在沙發無意識亂轉頻道，但目光總不由自主離開電視，看著那盆綠翡翠，想到那天的她，甜甜笑著，站在路邊抱著盆栽等他的樣子。

他的衣服染上她慣用的橙香香水味，這甜味不適合他，但卻讓他時時聞著就想起她來。

廚房後面的陽台擺著垃圾回收桶，裡面多了很多她推薦的魷魚羹米粉的紙碗，都是有時下班去找她後，回家時順道買回來吃的。

書房的書架被聶魯達的詩集佔滿一角，是她推薦的，他經過書店時把書全買下，斷斷續續的讀，已經讀了大半，聶魯達的詩讓他的心柔軟下來，那字裡行間的濃情密意，教他看得心折。

他覺得自己的生活好像被她一點一滴滲透，從不曾在家裡擺放植物的他，在家擺了綠翡翠；不喜歡甜香味的他，有時會拿著有她香味的衣服湊鼻聞；鮮少吃消夜的他，每三天就吃一次魷魚羹米粉當消夜……

現在呢？

深夜一點，他在電腦前，上百貨公司網頁看線上DM。

又是為了夏琦。

得到二十萬元禮券，他只想花在她身上。

琳瑯滿目的商品讓他拿不定主意，想半天，忘了已經很晚了，還是傳了封簡訊過去。

夏琦沒回簡訊。

這時間，她睡得正熟正甜，還作了一個美夢。

夢裡，是超老套的結婚典禮，她是穿著美麗白紗的新娘，旁邊，是高大的任冬柏。

或許是一直被叫大嫂，叫到影響了潛意識，她竟作了這樣一個夢，夢裡他們在晴空萬里下，在美麗沙灘上，互許終身。

「我也不知道想要什麼耶！」夏琦歪著頭，走過一個個專櫃，看起來有些煩惱。

旁邊，是興高采烈想要買禮物給她的任冬柏，他們牽手走在百貨公司裡，與一般情侶無異。

「我什麼都有了，你幹麼一定要買禮物給我啊？」她有些煩惱。

那晚他傳的簡訊她一直到隔天早上才看到，那封簡訊有夠沒頭沒腦，寫著——

妳有想要什麼嗎？

夏琦這樣回覆他——

想要你的真心。

結果他打了電話過來，先是哈哈大笑一陣，才說自己抽到尾牙大獎，想送她一些禮物，但不知道該送什麼。

所以他們約好這天來逛街，無奈夏琦左選右選，就是不知道要買什麼。

她不想要名牌包，衣服也足夠，其實不需要什麼，他們逛呀逛的，夏琦腿都瘦了，還是什麼也沒買。

任冬柏有感而發。「這禮券其實也沒多好用嘛，我同事還很想要。」

她斜看他一眼。「我也是第一次發現禮券好難用喔……可能我們都節儉成性，現在什麼購物慾都沒了。」

「不然，買些東西給我妹妹好了。」任冬柏提議道。

夏琦點點頭。「我陪你去挑，她們有筆記型電腦嗎？寫報告可能需要，不然幫她們各買一台？」

筆記型電腦？任冬柏認同這個選項。

最後，他們打包了三台筆記型電腦，接著來到八樓的餐廳喝下午茶。

夏琦嗜甜，點了一個巧克力香蕉冰淇淋鬆餅，以及甜膩膩的草莓奶茶。

任冬柏則在翻開菜單後，發現沒有咖啡這個選項，他皺起眉來，問服務生。

「沒有咖啡？」

服務生微笑搖頭。「下午茶時間我們只供應茶。」

他從善如流。「OK，那給我不甜的茶。」

「先生，我們糖都是另外加，所以茶都不甜，請問您要蘋果紅茶、草莓奶茶、焦糖奶茶、水蜜桃紅茶，還是百香綠茶呢？」

這五種聽起來都很甜！

他唇角抽了一下，顯然拿不定主意。
對面，夏琦哈哈笑，想到曾跟他到咖啡館，結果自己點不到不含咖啡的飲料，那時的窘境記憶猶新。
現在，換他了啊～～
看到她的笑臉，任冬柏頓時知道她在取笑自己，一邊心裡感嘆此一時彼一時，一邊還是做了選擇。「請給我蘋果紅茶。」
服務生走後，任冬柏板起臉。「笑什麼？」
「笑你現在來到我的地盤，嘿嘿。」
他瞪她一眼，嫌她笑容刺眼。「我沒有怕甜，只是不喜歡。」
哪像她？怕苦怕成那樣。
然而，一想到那時，他的心口就有一股騷動，那時他對她太嚴苛，逼哭了她。
他靠向椅背，靜望她容顏，心裡的話，就這樣突然傾洩而出——
「夏琦，我想我愛妳。」
夏琦呆住。
她有聽錯嗎？他就這樣毫無預警地說出來？

她張大唇，眨了眨眼睛，呆看他，心裡呀，被雀躍填滿，可是表情還很震驚，心跳怦怦地震著她思緒，一時間還沒反應過來。

任冬柏也被自己突然衝出口的話給嚇到，他呆了幾秒，看見她怔住的表情，笑了。

這傻瓜！

他終於明白，所謂的愛，不是要花時間思考，而是這秒鐘，他有衝動，想跟她說愛。

不需要什麼釐清，不需要什麼認真想想，只在這一刻，夏琦坐他對面，他腦袋裡浮現好多片段，從她說自己努力創業的表情、被他激哭的落寞面容、她承認暗戀他時的臉紅，到她回吻他時的熱切……

這些面目，都是愛情的模樣，刻在他心版上，他自然而然想回應，也想討她歡心。

所以他任她的點點滴滴進入他的領域，所以他一抽中禮券想到的就是她。

愛情很難解釋，他說不出來為什麼，講不出來從何時開始，但他就是知道，且就在這一秒明白了，原來他愛她。

他再說一次。「我愛妳。」

她終於反應過來，吐出口的卻不是什麼好感動謝謝你的話，而是噼哩啪啦一串——

「任冬柏，我還沒有心理準備啦！你幹麼突然說出來？我以為會在很浪漫的時候你才會說欸！現在這邊很不浪漫，旁邊都是人，你看我雖然很感動，可是也不能撲上前親你，不管啦！你要重來一次啦！」

她幻想的場景是——可能某天她去他家，兩個人一起看DVD，然後他握住她手，深情款款的告白，接著他們可以親吻，可以緊緊抱著滾來滾去……

現在呢？

旁邊那桌，是三個中年婦女格格笑著，討論昨天打麻將誰輸誰贏；再過去那桌，年輕少婦帶著小男孩，小男孩打翻飲料，還自己滑倒，正在大哭；窗邊那桌，一對夫妻帶著一個小嬰兒，嬰兒剛剛哭完現在正在吐，桌上一片狼藉——

他們這邊，一點深情款款的FU都沒有啦！

任冬柏倒是笑得開心，桌下的腳，偷偷踢了踢她的小腿肚。

他沒經驗，不會選時間地點，想說就說，這秒他注視著她，目光熱切。「夏

琦，我愛妳，要我說幾次都可以。」

說幾次都可以？

她忽然好感動呀，剛剛那些亂七八糟的抱怨頓時消失無蹤。

「那……下次我叫你說時，你要說喔！」

他笑了，一如當初設計完工時的溫暖笑容在他臉上漾開。

夏琦被這笑容懾服，她嘆口氣，看著他，眼色無奈且溫柔。

她就是拿他沒辦法，被他笑容融化的，是她的冀戀，以及整顆心。

服務生送上餐點，夏琦吃起鬆餅，美妙的甜味在她舌腹間化開，她覺得自己好幸福啊！不只嘴裡鬆餅甜蜜蜜，心裡也被他的告白哄得甜滋滋。

而他呢？

面對不加糖的蘋果紅茶，眉頭打起死結，因為已經聞到芳香的蘋果甜味，這……不可能不甜吧？

任冬柏端起茶杯喝了一口，還真的不甜，只有香料的芬芳，在嘴裡流連。

也許流連的不只是蘋果香料，還有甜美的夏琦，他不嗜甜，卻也迷上她這顆美麗糖蜜，意外吃下，漸漸地，愛上這甜味。

這晚，夏琦不回家。

他們用禮券買了高級牛排回去，由任冬柏烹飪，夏琦不善廚藝，被他趕出廚房，乖乖在餐桌前等他。

等待的空檔，她拿了聶魯達的情詩來閱讀，其中，有段這樣寫著——

我想吃掉在你可愛體內閃耀的陽光，你驕傲的臉龐上至高無上的鼻子，我想吃掉你眼睫上稍縱即逝的陰影。我飢渴地四處走動，嗅尋霞光，搜尋你，搜尋你熾熱的心，像基特拉杜荒原上的一頭美洲豹。

讀著讀著，她好餓啊，她感覺自己也像一頭美洲豹般飢渴，想大啖牛排，以及，那個她等待好久的男人。

任冬柏端著牛排上桌時，接觸到她飢餓的目光，他笑著說：「餓了吧？」

餓？當然餓。

熱騰騰的牛排驚人的香，令人食指大動，可是，他也很可口，穿著條紋襯衫的他，把袖子捲到手肘處，因為勞動關係，胸口的釦子開了幾顆，若隱若現露出一小片古銅色肌膚。

夏琦不知道自己是怎麼了，她竟這樣渴望他，心裡是害羞的，但渴望又是這樣明顯，是聶魯達的情詩讓她變得不尋常嗎？

還是，三年的暗戀終於開花結果，所以她過於興奮了？

她壓抑靈魂裡異常的沸騰衝動，秀氣的切起牛排，小小口地慢慢往嘴裡放。

他煎得中規中矩，有些地方稍微過熟，但大多部分都肉質鮮嫩多汁，她忍不住稱讚。「你滿會煮東西的。」

他笑了笑。「我爸媽走了以後，很多事只能靠自己。」

收養他的親戚家裡是開早餐店的，一忙就是大半天，中午以後打烊回家，也是忙著睡午覺，晚上大都在外面買一買解決。

他吃膩了附近的乾麵跟大腸麵線，也厭倦了滷味跟自助餐，有時會試著自己下廚煮東西，後來，上了大學，在外租屋的他，因為住處沒有瓦斯爐的關係，沒機會下廚而荒廢四年，直到有了工作後，才又恢復一有空就下廚的習慣。

「我什麼都不會煮。」她撐著下巴，有點不好意思的說。

他揚了揚眉，理解地說：「妳是千金小姐嘛。」

她皺了下眉，說：「你這樣說我，讓我又想到之前你酸我的事情，現在有時候想起來，還是有點難過。」

他微愕，看她面露悲傷，站了起來，繞過桌子到她旁邊，牽起她的手，嘆了口氣，正經道：「我現在跟妳道歉，對不起。」

她咬唇，道：「其實我不是要你道歉……」

他揚揚眉，說：「讓妳難過，我還是得道歉。」

夏琦眨了眨眼睛，感覺眼眶熱起。

然後，她站了起來，投入他懷抱裡，濕著眼眶，喉嚨梗著酸意，這份道歉，得來不易。

「妳哭了？」他微愕，低下頭，果然見這小女人淚流滿面。

任冬柏無聲嘆息，撫著她臉上熱燙的淚水，炙著他指頭，恍恍惚惚地也被她影響，心感覺酸酸地……

「別哭……」

她還是哭著，但卻沒哭得軟弱如一灘水，反而很有行動力地踮起腳尖，拉下他頸項，胡亂吻他一通。

他嚐到她的眼淚，是鹹的，到口裡就涼冷的淚水，繞著他舌尖。

他被吻得鼻息逐漸混亂，因為她黏上來的身體柔軟的貼著自己，那起伏的曲線教他身體緊繃。

她柔軟的小手覆住他的臉，輕撫著他的鬍渣，讓他身體發燙，全身都熱。

他激烈的回吻她，將她嬌小的身體壓向自己。

很難克制，而他也不想克制……

任冬柏的大掌從她衣服下緣探入，由纖細腰腹而上，在胸乳下緣輕探。

她眨了眨眼睛，輕喘著，感覺他逐漸撫上自己，她變得敏感，且異常期待，他將帶給自己的……會是什麼樣的體驗？

他的大手，狠狠覆上柔軟的胸乳，那裡肌膚觸感溫滑柔潤，他低低喘息，停下親吻，靠著她額頭，睜開的眼眸盛滿情慾，凝視她同樣混亂的目光。

「我是第一次。」他望著她，覆住她胸乳的大手輕捏了一下。

她輕吟一聲，剛剛被淚水染濕的水靈靈眼眸無辜的看著他。

「可以嗎？」他吻了一下她的嘴。

她沒說話，只是將手也探入他衣裡，小手撫著他剛直的背，一下又一下。

他想，這是默許。

任冬柏把她圈在懷抱裡，他要放肆，要很放肆……

他輕易抱起她，走進自己的房間，把這可人兒放在自己的大床上，然後壓上去，本能的以強悍貼著她的柔軟，狠狠的親吻隨之而來，落在她的唇上、頸項、胸口上……

衣服，不知道什麼時候被除去了，赤裸的肌膚相貼，帶來驚人的炙熱，她感覺自己變得濕黏，臉頰紅暈，心跳好快，她羞得就快要死去——

任冬柏看著她。

他的目光，才像基特拉杜荒原上的美洲豹，她是獵物，不會被他拆解入腹，而會被他擺弄成各種磨人姿勢，以及，誘她發出從沒聽過的黏膩嗓音。

她輕吟，輕輕吟……

他的手，探在她最沒有防備的地方，她眨著眼睛，求饒的看著他。

她想，他不是沒經驗嗎？可怎麼讓她好興奮、好雀躍，好期待他的熱燙，以及

那個合而為一的時刻——

當他終於進入她時，她驚吟，甚至感覺眼角有淚，很熱很燙，但也極其舒服，快感堆疊著，一下又一下，攀上層層高峰……

熱烈纏綿後，身體是累癱的，他們一起臥在被窩裡，窗外寒流來襲，冷風吹打窗戶，他們這兒溫暖，赤裸的身體貼著彼此，體溫一起升高。

他們都不睏，反而精神奕奕。

她懶洋洋地開口。「不是第一次嗎？」

「男人的本能。」他說。

她笑了，鑽進他懷抱裡，他順勢擁住她，親了親她柔軟的髮。

「任冬柏……」

「嗯？」

「你喜歡我哪裡？」

他愣了一秒，說：「這問題我問過了，妳學我。」

她笑著說：「我也想知道啊！為什麼你今天突然說愛我？我今天……特別漂亮

嗎？」

他笑了笑，淡淡道：「妳一直都很漂亮啊！」

夏琦在他眼中，一直是十分漂亮的。

她臉一紅，又問：「那除了外表呢？你喜歡我哪裡啊？你總要說看看嘛！」

他想了一下，思考的時間在夏琦感覺裡彷彿過了好久，才等到他的回答。

「我喜歡妳說妳很努力創業的樣子，也喜歡妳眼中的堅定跟光芒，嗯……我也喜歡妳承認暗戀我的害羞表情，還有……妳有點愛哭，但每次哭，都能觸動我一些感覺，我也不知道怎麼說，我沒有不喜歡妳什麼地方，可能，我喜歡妳的全部。」

她要原因，他就給她原因，很多很多的原因，都是愛上她的點滴。

喜歡她的全部？

這肉麻得像連續劇老掉牙台詞的話，從任冬柏口中說出來，他目光認真堅定，好像這答案是他想了很久才想到的。

這答案，很珍貴，不老套。

她眨眨眼睛，好感動啊！有人喜歡她的全部，她、她、她也是！

夏琦仰頭，親了親他下巴的鬍渣，感動道：「我也喜歡你的全部！」

他微笑，攬住她溫暖的身體，從沒跟人這麼親密過，這一刻，他感覺他的世界好像只有他們兩人，這樣狹小的世界，他很滿足。

「妳上次說，喜歡我的笑容的，現在改口了喔？」

她被吐槽，臉蛋一紅，鼓著臉說：「現在我發現也喜歡你的全部咩！」

他以懶洋洋的口氣，淡問：「為什麼突然發現啊？」

「因為……要公平。」

任冬柏哈哈笑，好一個要公平，互相喜歡對方的全部，還真是很公平啊！

第八章

愛情，讓人變快樂。

夏琦每天都心情很好，她將兩人交往的消息跟父母報告，家人都沒什麼意見，沒支持也不反對，看來是夏嘉拿了徵信報告給父母看過，說了一些任冬柏的好話，才讓父母決定暫時靜觀其變。

當然，疼愛她的父母還是語重心長的叫她眼睛得放亮點，夏新龍就說——

「就算交往了，還是不能代表妳已經了解這個人了，琦琦，爸希望妳下次可以帶他回家給我們看看，讓爸媽幫妳把關。」

而夏琦也答應會找時間介紹任冬柏跟家人認識。

她愛情得意，事業也得意，任冬柏設計的阿茲特克風三樓賣場已經進入裝潢階段，不少客人從她口中得知改裝後將有VIP室，並且新引進了阿茲特克風系列首

飾，都非常興奮，說到時一定要來逛逛。

另一頭，任冬柏也一樣。

他心情也是每天都是大晴天，明明最近寒流來襲，又下起雨，濕濕冷冷的教人受不了，他還是笑容一天比一天多，阿昆都常笑他轉性了，性格的任大設計師，變得太有親和力。

每天下班後，他會去找夏琦，幫她送個晚餐，一起窩在「向隅」吃飯。最近，連他都開始接觸店內販賣的首飾系列，偶爾夏琦忙不過來時，他會幫忙招呼客人。

他們的生活，一有空就膩在一起，休假時一起去看電影，有時也會去爬爬山、一起嚐美食。

夏琦很愛看美食節目，主持人介紹某地小吃，她看得口水直流，等到有空就會叫任冬柏帶她去。

有些小吃不在台北市，可能在台東，那他們就順便泡個溫泉；或許在南投，那他們就順便上山去清境農場看羊咩咩。

過年期間，夏琦跟家人出國玩了七天，任冬柏跟三個妹妹在老家圍爐，明明是

每年都做的事，今年卻覺得不習慣，好像少了個人。

原來，愛情會讓思念無孔不入，愛情的辛酸會透過思念，在對方不在身邊的時候層層襲來……

夏琦在夏威夷想念台北的任冬柏，任冬柏則渴望夏琦到他家來一起圍爐。越洋電話很貴，夏琦還是忍不住打過去。

任冬柏陪著三個妹妹看熱鬧的新年節目，但他卻無法感染快樂氣氛，感覺心空空的。

然後，他接到她的電話，明明才兩天不見，卻覺得隔了好久好久。

「任冬柏，台灣很冷吧？」她的聲音很近，卻也遠。

「很冷。」他離開沙發，到房間裡，吐露思念心聲。「夏琦……我覺得，是因為妳不在，所以台灣變更冷了。」

夏琦在電話那頭，被他的話感動著。

她的任先生，高大性格，沒談過戀愛，但總是說出好多好多肉麻體己的話，她確確實實感覺自己被珍視著……

她抓緊電話，傻乎乎的也說：「任冬柏，我這邊也好冷喔！」

任冬柏愣了一下，大笑說：「不要跟我說是因為我不在妳旁邊，所以連夏威夷都變冷了！」

被猜中心事的夏琦臉紅了，幸好他沒看到，不然又要糗她了。

「我很想你……」她語氣輕緩且溫柔。

他躺在大床上，側看著旁邊窗戶，外面下著細雨，天氣陰冷且潮濕，可電話那頭夏琦的話，像夏威夷的溫暖陽光，透過話筒，蔓延到他身上。

他輕嘆口氣，感覺全身輕飄飄且暖洋洋。「我也想妳。」

他們又閒話了一下，才依依不捨的掛斷電話。

掛上電話後，任冬柏在大床上翻了個身，臉頰貼著床，閉著眼睛，心裡仍想念剛才她甜美的嗓音。

跟夏琦戀愛後，他的生活變了好多，原本專注於工作的他，現在時時都想到她，好像想念她這件事，才是他的工作一樣。

他有時會分心，在街上看到適合她的東西，都會想到她，有回他在女裝店櫥窗看見一條水藍色的及膝裙，進入店裡後才想到不清楚她的尺寸，結果花了好久時間跟店員形容她的模樣，請店員給意見。

以前的他，是不可能做這種事的。

但因為她，這些曾被他視為有點丟臉的經驗，都變得自然，甚至，買到那條裙子的喜悅，也蓋過了一個男人進入女裝店問東問西的不自在。

房門被敲了幾下，外面的筱蘭偷偷開了個門縫，看見他沒在講電話後，便走了進來。

任冬柏起身，問：「怎麼了？」

筱蘭坐到床上，笑了笑。「跟大嫂講完電話啦？」

「別再亂叫她大嫂，這會給她壓力。」雖然這樣說，但任冬柏其實不反對她們這樣稱呼夏琦，並且，在她們這樣叫時，他還會從心裡泛出一陣甜蜜……

筱蘭沒多說什麼，收起笑容，從口袋裡拿出一封信，交給任冬柏。

「這是今天我在信箱裡拿到的，沒讓妹妹她們知道，怕她們心情受影響。」

看著那信封上的寄件地址，她認得，知道是當初被父親撞死的林姓騎士父母寫的信，沒讓兩個妹妹知道是怕她們又想起父母的事情。

他接過信，皺了下眉。

林家兩老向來不會主動聯繫他，這幾年來，都是任冬柏主動去探視。

「他們……寫了些什麼？」筱蘭神情有點不安。

任冬柏拆開信，裡面是一張簡單的白底紅線直式信紙，上頭寫了幾行字——

冬柏：

我們將搬去香港依親，住在小兒子那兒。

生活上，無須掛念；經濟上，亦無虞。

這些年，你做得夠多了，今後，希望我們的離開，令你自由。

台灣，是少有機會再回來了，這麼多年來，終於決定放下，不再守著老房子，不再時時念著去掃墓。

與你的緣分，到現在，辛苦你了，望你幸福。

林伯父、林伯母

他看完，眼眶熱起。

見到他的反應，筱蘭將信搶了去，看過後，她熱淚盈眶地說：「哥！你終於自由了！現在我們已經大得可以照顧自己，而林家人也不需要你常去照看，負擔減

輕，你是真正自由了！」

自由？

是，他自由了。

他不記得自己有沒有回應筱蘭的話，只知道腦子一片空白，筱蘭不知道何時已經離開房間，剩下始終感覺如在夢中的他枯坐床上。

半小時過去，感覺眼眶酸澀，背脊有些痠了，他躺下，呆望天花板，過去的記憶如洪水般襲來，將他吞沒……

父母出事的那晚，他痛哭了一場，接著便堅強地收拾心情，一度天真到想半工半讀撫養三個妹妹，但這怎麼可能？最後只能看著一家四口被拆散，各分東西。

寄人籬下的他只能努力找時間聯繫三個妹妹，維持親情，不讓年幼的她們對原生家庭失去印象。

他一個人苦撐著，想維持以前那個屬於他的家，如今，他成功了，他們四兄妹相處融洽自然。

還記得第一次去見林家父母時，他剛滿十八歲，穿著高中制服的他，站在林家門前遲疑了好久好久，才大膽按下電鈴。

「哪位？」對講機裡傳來的，是一道上了年紀的女嗓。

「我姓任……我、我是那個……」他不知道如何介紹自己。

「任？」林母嗓音轉冷。「如果你跟那個害死我兒子的凶手有關係的話，請你離開。」

他只能坦白身分。「我是那個人的兒子。」

林母記得這孩子，身材高大英挺，眉宇充滿正氣，眼色單純無害，這樣一個少年，一夕間失去父母，帶著三個妹妹，如果他不是害死她兒子凶手的家人，她會心疼這孩子。

「我們沒什麼好說的。」

「伯母，我只是……」他嚥了嚥口水，緊張地說：「我只是想來看看你們過得好不好？」

他才十八歲，想法單純，沒想過自己這樣一廂情願的舉動可能對林家人招來刺激，他只是單純想替死去的林先生看看他的父母。

林母沒說話，她在對講機前淚潸潸。

許久後，任冬柏才又說：「林伯母，我叫任冬柏，冬天的冬，柏樹的柏，希

望您可以記得我的名字，我以後會常來的，我想關心你們，想知道你們過得好不好。」

後來的一年裡，他每隔幾個禮拜就來一次，有時按電鈴沒人理，有時林父接，有時林母接，他們口氣都冷淡，但他從沒退卻，仍然不屈不撓。

第二年的夏天，林家人才開了門，讓任冬柏進來，他們帶他看兒子的生活痕跡、生前的房間……任冬柏才從他們口中知道他們還有一個小兒子，隻身在國外唸書。

這幾年，任冬柏每年都會去看林家父母好幾次，知道他們的小兒子目前定居香港，已經成家立業，常催他們過去一起住，可他們捨不下這屋子，以及屋子裡關於大兒子的回憶，不肯走。

也許在心裡，任冬柏已把他們當作自己親近的長輩看待，此時他們肯離開台灣了，留下的這封信，教他心情複雜。

是自由、是輕鬆，可也開心不起來，浮上胸口的，竟是捨不得。

他閉上眼睛，試圖想一些快樂的事情——

比如說，他終於可以去國外唸研究所了，可以聽到心所嚮往的教授上課。

他一直渴望去國外攻讀室內設計研究所，卻因種種因素無法成行，除了經濟壓力，除了尚年幼的三個妹妹，還有他一直當作責任的林家父母。

現在，他小有成就，存了一點錢，妹妹已成年懂事，林家兩老也不需他探顧了，他的夢想，正是起飛時。

忽地，腦海裡衝出一個甜美身影。是夏琦。

如果他要出國唸書，夏琦怎麼辦？

聽說，遠距離戀愛是愛情的墳墓，他是第一次談戀愛，就遇到這麼難的問題，他不想放棄夏琦，但也不願放棄這個出國唸書的時機。

可是，夏琦能明白他的為難嗎？

遙遠的距離、拉扯的感情，如果他不變，她也會不變嗎？

任冬柏忽然變得患得患失了……

✿ ✿ ✿

任冬柏因為擔心跟夏琦之間的感情，遲遲沒辦法下決定出國唸書。

他知道自己終究會去的，甚至，他不會因為夏琦而放棄這個多年的夢想，但是，卻又好矛盾的擔心如果學成回國後，她沒等著自己，那該怎麼辦？

要去，但該不該現在去？跟夏琦之間的感情才剛確定，他選在這時出國，遠距離戀愛的殺傷力不小，何況是剛確認彼此心意的他們？

但不現在去，他已經不是二十幾歲了，出國唸書需要勇氣，再緩就來不及了。

這天晚上，他們租了DVD一起看，看完已經晚間十一點，夏琦留下來過夜，沐浴過後，她穿著他的寬大T恤，步入他的房間後，猛地撲上他的床。

大張著手臂往前撲的她，壓在任冬柏身上，笑嘻嘻地吻了吻他的唇，然後翻下身，躺在他身旁，偎著他身體挪動，幾秒後，似乎找著了一個舒服的位置，才乖乖躺好。

任冬柏順勢摟住她，由著她半靠半壓在自己的手臂上，看著天花板，心事重重。

他想問她關於出國唸書的事情，但又找不到好時機開口，怕她一聽見他要出國就反彈，但他卻又清楚知道自己該詢問她的想法。

倒是夏琦率先在黑暗中開了口。「我覺得男主角好有勇氣喔，他根本不知道女

主角的現況，還敢貿然辭職過去找她……」

她討論的是剛剛看的DVD，片名是「真愛零距離」，內容敘述男女主角因為遠距離戀愛而產生的無奈與磨擦。

任冬柏就是因為看完這部片，忽然變得忐忑了。

他敷衍的嗯了一聲，突然靈機一動，想到可以藉著這機會問她的想法，於是問：「妳覺得遠距離戀愛怎麼樣？是會造成磨擦然後分手，還是妳覺得是可以克服的？」

她沈默了好一陣子沒回答，任冬柏又問了聲。「夏琦？妳睡著了？」

她從黑暗中傳來的嗓音有點啞。「沒有。」

「怎麼了？」他聽出她嗓音有點不對勁。

夏琦是因為想到之前跟學長的那段戀愛，遠距離戀愛很苦，她嚐過。

屬於戀人的節慶時，看著街上人們雙雙對對，自己明明有對象，卻落得孤單一人，那感覺真是糟透了，更別說許多因為距離所帶來的不確定感了，因為看不見對方，很容易會過度解讀一句話或一件事情，造成更多的磨擦。

她深深吸口氣，說：「我曾經談過遠距離戀愛，結果卻失敗了。」她笑了

笑，有點無奈的接著說：「不知道他劈腿算不算是輸給距離？但我還是受了很大的傷。」

任冬柏微愣，抱著她的手臂忍不住收緊。

夏琦侃侃而談自己的經驗，好像一開了頭，心事就傾巢而出，不再顧慮什麼了。

「我曾經有段日子不太相信人，覺得這實在太可怕了，你知道嗎？對方用我家的錢出國唸書，然後還讓第三者住進我家的房子……」她嘆了口氣。「真難堪。」

出國唸書？

任冬柏被嚇到了，腦裡馬上聯想到，如果她曾經吃過被劈腿的悶虧，那麼她會不會對他也要出國唸書而過度解讀？

他不希望嚇到她，所以現在還不能提。

他決定自己來想辦法，先跟小惠姊提要出國唸書的事情，並且著手進行，然後，夏琦這方面……

他不想失去她。

他甚至想過，如果她願意，他很歡迎她一起出國……但這想法隨即又被推翻，

他怎能要她捨下事業？

身旁的夏琦不知道什麼時候睡著了，他微微側身，將臉貼靠她的髮，溫暖的馨香竄進鼻裡，他感到一陣幸福的歸屬感。

或許，他能用婚姻來給予她安心。

如果他先跟她求婚，讓兩人關係更加確定，然後再出國唸書，會不會比較能讓她安心？

只要能讓她守著自己，任冬柏發現，自己什麼都願意做……

「你要出國唸書了？」小惠姊揚高了嗓音，帶著些許的訝異。

她看著站在自己辦公桌前的男人，一如初次來到「當家」室內設計工作室時，高大的體魄，沈穩的面容，以及一絲粗獷狂野的氣息。

從第一次見面，她就知道他並不想安於現狀，果然，還在做助理時的任冬柏某天來到她面前，跟她說了他想出國唸書的夢想，說他崇拜一個教授，想要跟他學習，讓視野更加開闊。

她是贊同的，並且，欣賞這樣的他。

看著任冬柏一步步往上爬，用他的才氣征服客戶，逐漸累積了名氣，沒想到就在這時，他說要出國完成那個夢……

她捨不得，但也很佩服能捨下這些的他，畢竟，這些年累積的客戶跟口碑，可能會因為他出國而出現斷層，當人站在浪上時，誰敢賭就這樣離開，之後會一樣幸運？

但任冬柏敢。

「是的，我已經開始準備作品集，以及一些入學考試需要的資料。」他眼神堅定。

小惠姊看著他。「我想跟你說一些利害關係，但看來，你不會想聽？」

他淺淺微笑。「小惠姊，很謝謝妳的照顧，我已經知道如果出國唸書可能會失去什麼，但我還是要做。」

「冬柏……」她站了起來，走到他旁邊，搭上他的手臂。「歸國後，這裡一樣歡迎你，但，我不能保證，這整個業界都會善待你。」

這就是環境。

「謝謝妳，小惠姊。」他笑了笑，似乎沒把這些未來可能遇見的挑戰放在心上。

她看著他的一派輕鬆，輕嘆了口氣，說：「我介紹一個人給你，他曾唸過你想去的學校，我想他或許可以協助你成功取得入學資格……」

任冬柏從小惠姊那邊得到了幫助，接下來的一個禮拜，他如火如荼地進行準備，同時，還得忙手上的案子，一切都讓他非常辛苦且忙碌。

再過兩個多星期就是夏琦的生日，任冬柏準備在那天向夏琦求婚，告訴夏琦他的決定，跟她好好談一談，商討如何一起面對變動的未來。

他有信心，所有問題可以迎刃而解。

第九章

因為忙著出國的事情，任冬柏變得非常忙碌。

他儘量不想壓縮到與夏琦的相處時間，但還是不能做到跟之前一樣，比如說，一天之中來來回回的簡訊從十封減到六封左右，一星期內至少有五天會見面，也減為大約兩、三天。

他為求婚準備了禮物，訂了間一位難求的餐廳，初次戀愛的他，不懂怎樣才能討女生歡心，只能憑藉一般人對求婚的印象——鮮花、禮物、戒指、氣氛佳的高級餐廳，來堆砌求婚場景。

被蒙在鼓裡的夏琦敏感的感到很不安，她發現任冬柏的電話、簡訊少了，回應內容也很簡短。

比如說，在他下班後，她會打電話過去問他在做什麼，他會給這樣的回答——

「對不起，被工作纏身，最近很忙碌，只能講一下電話，妳在幹麼呢？」

通常她聽見他說只能講一下電話，就會覺得不要打擾他比較好，隨便閒扯幾句後就掛掉電話，改傳簡訊過去，他也會回傳，但當這樣的事情幾乎天天上演，夏琦逐漸感到失望，她知道他很忙，可是她也會寂寞。

她不明白，難道他都不想念她嗎？為什麼連些簡單的互動都做不到？

「琦琦？」姜姜出聲，拿手在她面前晃呀晃的。「又在發呆？」

懶洋洋趴在櫃檯的夏琦，這才打起精神。「妳來了啊？」

姜姜笑了笑。「妳最近怎麼一天到晚都在發呆？」

「有嗎？一天到晚？哪那麼誇張？」她還是一派懶洋洋的。

姜姜看她這樣，心裡猜到一定有什麼事情發生了，她賊兮兮的靠了過去，一手攬住夏琦的肩膀。

「琦琦，是不是發生了什麼事情？」她還是笑。「妳看起來不大對勁喔！」

「沒有。」她不想說。

「怎麼可能沒有？」姜姜追問。

她知道夏琦是藏不住話的，可能問一次她不說，問第二、三次，她就會露餡

了。

夏琦瞥了她一眼。「真的沒有。」

說真的，是什麼事情都沒發生，只不過最近聯絡變少了嘛，很多情侶都會發生的，每個人都有各自的生活，這種情況偶爾發生很自然，她懂得。

「啊！我知道了！」姜姜摸了摸她的臉頰，一臉恍然大悟。「也難怪啦，男友要出國去唸書一定會發愁的，我今天聽到這消息的時候還嚇一跳，妳怎麼都沒跟我講？」

夏琦被她的話給駭住，她呆了呆，表情充滿不解。「出國唸書？誰？」

「任冬柏啊！我覺得妳很勇敢，竟然會答應這件事……」姜姜也很擔心，聽到也在「當家」工作的朋友這樣跟她提到時，她嚇了好大一跳，但隨即想到夏琦沒跟自己提，也許是不想讓其他人擔心，這方面，姜姜覺得夏琦展現了異常的勇敢，畢竟她曾經吃過男友出國唸書的悶虧。

「我不知道這件事……」她神情失落，震驚的表情讓姜姜心驚。

「妳不知道？」見夏琦搖頭，姜姜也呆了。「我朋友是這樣跟我講的啊！說『當家』的所有人都知道這件事，因為任冬柏在忙著把手上案子做完，他們很多人

都要幫忙支援……」

原來，這就是任冬柏忙碌的原因。

夏琦感到痛苦，為什麼、為什麼他不跟她講？為什麼身為他的女友，她卻是從別人耳裡聽見這件事？

她感覺胸口翻起一道苦澀，苦得發酸發疼，她深吸口氣，重新為肺葉填入豐沛的氧氣，然後她眨了眨眼睛，落下一滴委屈的淚水。

「我要去找他問清楚。」她篤定的說。

姜姜眼色擔心地看著她。「現在？」

「對，我要去。」為了不讓姜姜擔心，她試圖微笑，但看來卻像苦笑。

看她這樣，姜姜也不好再說什麼，只能目送夏琦離開。

✿ ✿ ✿

下午一點半，任冬柏剛處理完一個案子的報價，接下來，還有其他工作等著他……

目光瞥見桌邊的手機，上面閃了一下藍光，他拿起來看，以免錯失重要訊息，

結果是夏琦傳來的——

我現在在你公司樓下，請你下來見我。

現在？

任冬柏不懂，想起上次夏琦直接衝到他辦公室，這次她卻沒上來，待在樓下等他，為什麼？

下一秒，他又明白了，她是不想讓他公司的人看到，造成他的困擾。

但……她為什麼急著找他？

任冬柏想不明白，他第一次談戀愛，不懂得當自己忙碌起來，對方會覺得不安這道理，他只是很單純地認為，可能自己的確是比較少跟她聯絡，引她不悅。

他以為她可能生氣了，趕緊站起來，跟同事交代要出去一下，便抓了手機下樓。

一出大樓門口，他就看見了她，她站在一棵行道樹旁，路人經過她身旁，交錯的掩蓋她身影，讓他一直到走近才能看見她的表情。

她看起來哭過，甜美的大眼睛染著淺淺紅絲，小巧的俏鼻也有些紅……

午陽下，哭過的她臉上沒有表情，只呈現一股嚴肅，她眸光這樣認真，看得他心慌。

夏琦站在他面前，有種如夢似幻的感覺。

這可惡的傢伙，還是一樣好看迷人，眼色依然充滿誠懇，以著溫柔的眸光，令她心軟的看著自己。

這樣的任冬柏，卻隱瞞自己這樣的大事情，為什麼？他不知道這很傷人嗎？而，又為什麼，他捨得傷她？

任冬柏看著她，忽然覺得很想念她。

先前因為忙，已經三天沒見了，這秒鐘，當她站在自己面前，他忽然好想張開雙手擁住她，嗅聞她芬芳的香味，以及廝磨她軟嫩的肌膚。

他還想看見她對自己笑、對自己嗔、對自己撒嬌……

才三天不見呢，就已經這麼思念她啊！

「怎麼突然來了？」他打破沈默，看著她問。

她的眼色浮現怨懟，但卻答非所問地說道：「以前，我暗戀你時，因為不知道

你有沒有女朋友，曾託人問過，我店裡的塔羅牌老師姜姜正好認識你們『當家』的人，後來她說你沒有女朋友。」

任冬柏皺了下眉，一臉不明白。

「我當時好高興，真的，想說你一定有女朋友，最壞的情況說不定還結婚了，結果你沒有，我覺得自己有機會，一暗戀就是三年。」

她語氣淡淡，眸光也逐漸轉淡，忽地仰頭直視著他，開口。「今天，姜姜說你要出國留學。」

任冬柏一愣，說不出話來。

他沒想到，她來是因為知道了這件事，更沒想到，她為此哭過，現在，還語帶怨懟。

他試著想解釋，斟酌著開口。「那是因為……」因為什麼呢？

先前瞞她是事實，要說什麼才能讓她好受？

她苦笑著。「這是真的嗎？你要出國？」

他深吸口氣，坦然道：「是。」

夏琦感覺心痛。「你為什麼不跟我講？你是不是故意瞞著我？但為什麼要瞞

我？為什麼大家都知道了，就只有我不知道？」

他被她激動的語氣嚇到，趕緊上前握住她的手，誠懇道：「我在等說的時機，如果妳為此感到不痛快，我很抱歉。」

夏琦定定的看著他。

這裡是他公司大樓門口，旁邊人行道人來人往，更外面的車道，車輛呼嘯而過，身旁的吵雜讓她更覺心底難以平心靜氣，只能目光不離的看著他，想罵些什麼，但他又道了歉，她只能試圖從他目光裡探找有沒有其他古怪，但卻只看見一片誠懇。

她眨了眨眼睛，主動投入他的懷抱，仰頭看著他的眼睛。

好像只有這樣的擁抱，身體貼身體，才讓她覺得心貼心，才讓她覺得可以看見更真實的他。

她問：「你要找什麼樣的時機？」又補上一句。「這樣很傷人，你的事情，我想第一個知道。」

你的事情，我想第一個知道。

面對這句話，任冬柏忽然覺得一陣心痛。他責怪自己不該隱瞞，想要保護她，

卻反而傷了她。

他想給她一份穩定感，想準備好了再跟她講，想獲得她的信任，但卻反而失掉了這些，讓她感覺自己像置身事外，任冬柏將心比心，如果是他被這樣對待……他一定也會很心痛。

他擁住她，輕輕嘆息著，說：「出國唸書一直是我的夢想，但因為很多因素讓我不能成行，現在那些壓力解除了，我想實現這個夢想，但是我掙扎著不知道要怎麼告訴妳……」他頓了頓，又說：「夏琦，我真的很捨不得妳，可是……這是我的夢想，我唯一能做的不是為妳放棄這夢想，而是想辦法維繫我們的感情，讓妳有安全感，讓一切更順利。」

她聽著冷靜下來，試圖以他的立場思考，然後，發現她能釋懷。

夏琦始終看著他，那雙美麗的眼睛充滿善解人意。「我知道了，所以你……是因為不知道怎麼告訴我，才暫時隱瞞的？」

他點頭。

她無奈的說：「以後不要這樣了，要讓我安心，我們可以一起想辦法，你什麼時候有空？我們來談談這件事情。」

雖然聽見他要出國唸書讓她感到害怕，會聯想到前一段感情，但是任冬柏剛剛那番話，讓她安心了許多。

因為他很在乎她，那就夠了。

相擁的兩人沒發現不遠處走近的男人，那是任冬柏的同事阿昆，他昨晚剛跟未婚妻小米談了分手，整夜買醉的他，直到現在才來上班。

阿昆看見他們相擁，嚇了一大跳，同時，任冬柏也在這時看見他了。

任冬柏鬆了懷抱，將夏琦掩在自己身後，不希望受到太多注目。

阿昆人不壞，但有些好事愛起鬨，雖然知道阿昆已經看到夏琦了，他還是故意將夏琦藏起來，目的是要間接讓阿昆知道——他不想被談論。

無奈剛失戀的阿昆帶著一些未退的醉意，神經大條得沒注意到他的舉動，反而說：「你們……在交往？」

阿昆這樣直白的在兩人面前提問讓任冬柏皺起了眉，他暫時不理會阿昆，只是側過臉小聲對夏琦說：「妳先走吧，我再找妳。」

夏琦點了點頭，安順的說：「好。」

然後，她往旁邊站了一些，背對著他們，準備招計程車。

任冬柏面對阿昆，淡淡道：「你醉了？」

阿昆聳了聳肩，說：「現在沒醉，昨晚醉得很嚴重……」他語氣悲戚，問：「小米有沒有來上班？」

「有吧？好像有看到她。」任冬柏領著阿昆往大樓走，但阿昆一派懶洋洋的沒跟上他腳步，他轉頭看向他。

阿昆目光渙散。「昨天我跟小米分手了，她認識了一個有錢客戶，拋棄了我……」他看向任冬柏，沒注意到旁邊的夏琦還沒搭上計程車，就又問：「你告訴我，為什麼你們都找有錢人交往？是因為可以少奮鬥好幾年嗎？也對，你要出國唸書，需要錢嘛，但是這樣乖乖牌小姐就太可憐了……」

任冬柏打斷他，口氣憤怒。「你在胡說什麼！」

阿昆被他的怒罵給驚了一下，看見夏琦還在，計程車正好停在她旁邊，她呆看著他們，遲遲沒上車。

「對、對、對不起……」阿昆自覺闖禍，連忙跟任冬柏道歉。

任冬柏不管他，快步走到癡站著的夏琦身邊，審視她震驚的臉色，解釋道：「別聽他亂說……」

夏琦搖了搖頭，看了他一眼，道：「沒事……你回去上班吧！」

他還是有點擔心，腳步未離。

計程車司機出聲催促著。「啊小姐妳到底要不要搭車啊？」

夏琦坐進車裡，車門還未關上，任冬柏矮下身，又向她說：「我再找妳，別胡思亂想，好嗎？」

她嗯了一聲，關上車門，隨即離開了現場。

目送計程車離開的任冬柏心頭有陣不安，感覺很慌……

旁邊，阿昆湊上來，被這一嚇已經完全酒醒。

「沒事吧？嘿，我不會害你們吵架了吧？」

害他們吵架？

任冬柏不能確定，但他知道，如果他們真為此吵架，真正的原因恐怕沒那麼簡單，不只是阿昆，更是她的前一段感情帶給她的傷害。

一想到這裡，他腦中就浮現剛剛她呆站在計程車旁的樣子，那張可人的臉上充滿震驚，淡淡的哀傷浮上，讓她的臉色黯淡下來。

不行！他還是要去追她！不能就這樣放她一個人胡思亂想。

任冬柏不理會阿昆，回到公司拿出車鑰匙，再順道對同事交代一下，就開車直驅「向隅」。

另一邊，夏琦在計程車上掉下眼淚。

她聽見了，那個男人說任冬柏出國需要錢……所以，跟她交往。

這惡夢，跟學長當時一樣，她感到恍惚且心痛，怎麼會這樣？

剛剛建立的信心，似乎一瞬間又崩毀了。

一時間，她不敢問清楚，更何況有外人在場，她也不知道要怎麼問。

然而她又想，他追到計程車旁的樣子，那真摯的眼色、那擔心自己的神情，這男人，真會這樣傷自己嗎？

她好忐忑，不知道要怎麼安撫自己。

心口上，浮起的是深深的不安，怕任冬柏真的設計她，這樣狠心對自己……

忽然，手機響起，她看是姊姊夏嘉來電，沒立刻接起，沒想到夏嘉又再次打來，這回她接起來，電話那一頭，夏嘉的嗓音很急。

「琦琦，妳知道任冬柏要出國唸書嗎？」

夏琦愣一下，吸了吸鼻子，說：「嗯。」

「爸媽要求我請徵信社注意任冬柏，徵信社回報說他準備要出國唸書，我快嚇死了！該不會跟之前一樣吧？」夏嘉急急又說：「他有跟妳借錢嗎？」

「沒有……」夏琦討厭被這樣關注，心底恐懼，怕夏嘉紛紛而來的質疑成為事實。

「妳確定沒有？出國唸書需要很多錢，琦琦，我不是故意嚇妳，妳要防著點，我覺得事情不單純，他明明三年間都沒有注意到妳，怎麼一下突然就跟妳交往，而且交往沒多久就要出國……」

夏琦默默聽著，覺得心在滴血。

一朝被蛇咬，十年怕草繩，她想相信任冬柏，可是夏嘉說的話，卻也不無道理，這讓她感到混亂，並且，更加害怕了。

不要……不要騙她……

她不知道自己最後是怎麼掛上電話的，只記得自己下計程車時，滿臉的淚水讓司機嚇了好大一跳，然後她進了「向隅」，也嚇了姜姜好大一跳。

可她控制不住自己的眼淚，也控制不了逐漸開始懷疑任冬柏的心……

十分鐘前，夏琦哭著回來「向隅」，姜姜還忙著追問原因，就被隨之而來的任冬柏給打斷。

姜姜冷冷的看著眼前這個高大男人。他一臉緊張，英挺的臉孔上是一陣兵荒馬亂，瞧瞧，他還忙著把車鑰匙收進口袋裡就邊走進來了，另一隻手呢，則是忙把收手機。

夏琦一看見他來，就逃到二樓去了，他站定，與姜姜對視著。

通往二樓的樓梯在姜姜身後，任冬柏往左邊一步，姜姜也往左擋一步，他改往右跨，姜姜也往右移，他忍不住皺眉看著這女人。「讓開。」

「不讓。」姜姜冷眼看他。

「我要找夏琦說清楚。」他只能這樣向這女人解釋，希望她高抬貴手，讓位出來。

「要說什麼？」姜姜冷笑。「有什麼沒說清楚？剛剛琦琦說去找你問個清楚，然後就哭著回來，你現在說要找她說清楚，我倒要問問你到底發生什麼事，讓她哭

成這樣？」

他愣了幾秒，問：「她在哭？」

聽見她在哭，任冬柏感到心疼，心裡也更急了。

「拜託妳借過，讓我跟她講清楚……」他口氣甚至有些哀求。

姜姜看見任冬柏目光裡的慌張，終於肯讓開了，她沒多說什麼，就讓任冬柏上樓去。

上到「向隅」二樓，他看見角落一張小小的蘑菇造型椅子上，夏琦就坐在那裡。

聽見上樓的腳步聲，夏琦以為是姜姜，哽噎著問：「姜姜？他……走了？」

剛剛她好像有聽見任冬柏跟姜姜在對話，大概可以猜到姜姜在幫她擋，所以以為任冬柏回去了。

「我沒走。」

熟悉的男嗓，讓夏琦猛然抬起頭，怔然的望入一雙黑眸。

任冬柏就站在她旁邊，看見她淚痕滿滿的小臉，一陣心疼。

「為什麼哭成這樣？」他蹲下，與她平視，摸了摸她的臉頰。

夏琦別開臉，躲避他的觸碰，咬唇不語。

他嘆口氣，嗓音多了一絲無奈。「夏琦，妳別誤會。」

「我希望我不要誤會，可是任冬柏……」她哽咽著，淚光閃爍。「我很難不這樣想，三年來，你沒注意過我，卻突然跟我交往……」

她的哭音，讓任冬柏的心忽然揪緊，他無奈的看著她，明知道她話裡的懷疑已經刺傷了他，卻怎麼也沒辦法硬下心，對她板起臉。

他伸出手，摸了摸她的臉頰，觸及她的淚水，無聲的嘆口氣。「妳懷疑我？」

她的目光逐漸變得黯淡。「我……說懷疑很難聽，我不是懷疑，我只是、只是……」嗓音轉小聲，她也難以說服自己。「我猜測而已……」

夏琦很沒安全感。

跟任冬柏交往之初，她並不是沒有安全感的，她沒有因為被學長傷了，就永遠不相信男人，然而這一刻，當過去的經歷因為任冬柏要出國而傾巢而出後，她忽然變得很脆弱。

這段感情，也變得跟她一樣脆弱了，彷彿一碰就會碎似地。

「不要這樣猜測。」任冬柏的嗓音染上了受傷的愁苦。「這是在抹殺我們之間

的感情，夏琦，妳不能把我跟妳的過去擺在一起，這對我不公平。」

她仰起頭，矇矓視線裡，彷彿能看見他表情裡的傷心。

她也站起來，忙亂擦著臉上淚水，然後終於能看清楚他的臉。

那張曾經讓她覺得擁有溫柔笑臉的男性臉龐上，此刻漫著痛心，她沒見過他這種表情，當他以這樣悲悽的目光看著自己時，她感覺自己好像被刺穿，心裡很慌。

但她卻止不住自己嘴裡搶快的惡語。「不公平？那你不告訴我你要出國唸書，不也對我不公平嗎？我不懂，你說要找時機，那是什麼時機？我又怎麼能不懷疑，或許你是想等一切都確定後，再來向我……」

他厲聲打斷她。「向妳什麼？討錢嗎？」

她沒說，但卻一臉驚慌，突然很後悔自己剛剛說出的話，她是怕過頭了，升起了防備意識，才說出那些話。

「我……」她啞著嗓，說不出話來。

「夏琦，妳讓我……很失望。」他冷笑，怒瞪著她。

他真的很失望，被這樣指責，誰能告訴他要怎麼才能冷靜？明知道啊，她是因為過去的傷，讓她太過害怕，但他卻得平白接受這種指責嗎？

他站起來，痛苦的瞇著眸，凝視著她。「如果我要騙妳，為什麼要花時間弄清自己的心？如果我要騙妳，為什麼要介紹家人給妳認識？如果我要騙妳，幹麼花那麼多時間陪妳？夏琦……我知道妳痛過，所以懷疑我，但我也很痛！」

說完，他邁開腳步，毫不留戀的離開了。

下樓梯的沈沈腳步聲，就如同敲在夏琦心上的後悔，一下下地，震得她心痛。

他說，她令他失望。

夏琦怎會不知道，她把被學長利用及背叛的事情，跟這次混在一起了，而這對任冬柏不公平。

她閉上眼睛，想著跟他相處的情景，想著他的一言一語，想著他的每個眼神跟笑容。

那些快樂的回憶，現在想來都很酸。

她用那些相處點滴，細細去思考他的為人，去想著他說的每句話裡面，有沒有一絲絲的欺騙。

是啊，他說的沒錯……

如果他要騙她，就不會說要花時間搞清楚自己到底愛不愛她，他只要勾勾手，

她也會傻乎乎的說好。

如果他要騙她，就不用把他三個妹妹介紹給她認識，省得以後問起麻煩。

如果他要騙她，又何必抽到二十萬禮券就馬上想到她？他可以自己享樂不用跟她分享。

如果……

為什麼這秒鐘想起來，任冬柏的每句話每個動作每個眼神，都那樣真誠？

剛剛他眼裡的失望，教她從心底寒起，他震驚的表情、冷漠的面容，都是答案。

如果他要騙她，他又何必離開她？他該拚命辯解，如果他要的只是錢的話……

可他走了，離開了她、離開了「向隅」。

夏琦終於痛哭失聲，她知道，是她錯怪了他……

第十章

深夜，夏琦沒睡覺，頂著一雙紅眼睛，在電腦前流連。

因為只要一躺到床上，閉著眼睛的同時，任冬柏凜冽的眼神就會躍入腦海，提醒她今天犯下的錯誤。

她看著網友們討論愛情，有人的男友搞劈腿、有人沒辦法適應跟男友間的生活方式、有人的女友是拜金女、有人的女友跟好友好像越走越近……

這世界，愛情的樣貌千百種，卻同樣教人煩惱。

她知道自己錯了，但卻沒勇氣道歉，好幾次拿起手機，卻怎麼也不敢撥，想說換成傳簡訊，卻字字斟酌，打了半天都覺得不好，根本傳不出去。

她自作自受，現在得一人自嚐苦果。

城市另一頭，任冬柏則徹夜待在健身房，從跑步機到重訓，從舉重機到腳踏車機，他運動到出了滿身大汗，從鏡子裡見到自己的疲累。

他的眼神失去光彩，滿是黑暗。

他讓自己的身體疲憊，希望上床後可以沈沈睡著，一覺醒來後，連心痛的感覺都能忘了。

但哪有那麼簡單？凌晨三點，他回到家後，卻感覺意識更清晰了，打開門口燈，黃色溫光照亮室內一角，他一眼就看見那盆放在電視機旁的綠翡翠，喚醒他的心痛。

他快步走過去，抱起綠翡翠，拉開旁邊的落地窗，將綠翡翠拿了出去，放在陽台上，一抬頭，看見今晚月亮，尖細如鈎，高掛天空。

夜風很冷，他卻呆站陽台，仰看月亮，想起曾有一天，夏琦跟他一起在這陽台賞月，她笑得好開心，說：「別人說流星可以許願，但我說月亮也可以許願，流星偶爾才能看見所以許願很珍貴，但我的願望都很平實，每天看著月亮許願，月亮每天聽每天聽，就記得了，就會替我實現願望。」

這傻女孩，說話這麼孩子氣，任冬柏聽得心折，忍不住抱住她給她一個吻，告

訴她，她有什麼願望不用說給月亮聽，他會為她達成……

那一夜，多開心？

而此時此刻，孤單站在陽台的任冬柏覺得心寒透，終於他扭開頭，走回房間，躺在大床上，緊閉著眼睛，準備入睡。

但他怎麼睡得著呢？

這一夜，夏琦跟任冬柏都睡不著，他們都想著今天發生的事情，一個懊悔一個憤怒，都情緒混亂，徹夜未眠。

✿　✿　✿

三天過去，夏琦沈浸在失戀的苦痛裡，她茶不思飯不想，瘦了一些，皮膚懶得保養，妝也不化了，頭髮隨意往後束成馬尾，衣服也沒用心選，每天都穿白毛衣跟牛仔褲。

姜姜看不下去，正要唸她時，就看見她窩在櫃檯拿著手機不知道忙什麼。

「妳在幹麼？」

夏琦沒看她，仍然專注著手機簡訊，嘴上回。「傳簡訊給任冬柏。」

姜姜揚揚眉。「不是說不敢傳？」

「還是要傳，我要跟他道歉。」

她想了三天，終於提起勇氣跟他道歉，她知道他可能不會接受，也不奢求他們能回到以前，可是她知道這是自己該做的，是她的胡思亂想與不信任導致今天的結果，她一定要負起責任道歉。

從早上開始，她就反覆在推敲這封簡訊，寫了又改，改了又刪，搞來搞去弄到現在，上面寫道——

誤會你，對不起。

不相信你，對不起。

不知道要怎樣才能讓你明白我在反省，其實我應該早就要知道，你怎麼可能會做這樣的事情，但我卻仍然選擇傷害你。

如果能回到那一天，我不會這樣做。

任冬柏，你別生氣好不好？

要我說幾次對不起都可以。

寫得很亂她知道，寫得很爛她也知道，因為不知道該怎麼表達這些歉意、不知道要怎麼寫才誠懇，她只能傻乎乎的寫出自己想說的話。

簡訊傳出去後，過了一分鐘，任冬柏就回訊息了。

夏琦看著手機螢幕在閃，卻遲遲不敢看訊息，過了好久，才敢打開來看。

任冬柏寫道——

我們談談，好嗎？

一句話，教夏琦淚水崩潰。

她流著眼淚打簡訊，淚水矇矓了視線，也滴落在手機螢幕上，教她一時看不清楚。

她胡亂抹著眼淚，然後以袖子擦了擦手機螢幕，才重新回簡訊，她只回了一句——

好，謝謝。

城市那端，任冬柏收到她傳來的那句話，瞇了瞇眼睛。

她說「謝謝」，他懂，她是指謝謝他願意給她這個談談的機會，可是啊，她把自己的姿態放那麼低，讓任冬柏感到一陣心疼。

這幾天，他也靜下來想過了。

當下，很氣她這樣傷自己、很氣她的指責、很氣她的猜測懷疑，然而，當生活裡沒有她，他又覺得很空虛，想生氣都氣不起來，偶爾想起，都是她甜笑的樣子，以及相處的回憶。

那些快樂回憶，讓他想著想著，心緩緩暖起，就連吵架的不高興，都可以雨過天晴。

才正想著今晚要去找她，跟她試著重建關係，就收到她的簡訊，他們心有靈犀一點通。

任冬柏看了看窗外，微笑著回了訊息——

今晚「向隅」打烊時間後，我去找妳。

✿　✿　✿

打烊時間已過，店內沒有客人，夏琦乖乖等著任冬柏。

她只留下櫃檯的一盞燈，黃色溫光照映一室昏暗，如她心中希望的燭火，淺淺亮起。

她想過好多次，等等見到他，她要再跟他道歉，要告訴他自己後悔傷了他，希望他們能和好。

忽地，微乎其微的敲門聲響起，很輕、很輕，輕到夏琦幾乎以為那是錯覺，但她還是抬頭往門口看去，從她的角度，只能看見玻璃門的上半部，那裡，有一張絨毛大熊玩偶的臉。

她睜大眼睛，訝異的站了起來，朝門口走過去，卻因為站起來而看見大熊玩偶原來是被一個人抱著，玩偶的頭擋住那人的臉，才讓她一時沒注意到。

那是個男人，一個身材高大的男人，那體態她很熟悉，男人穿著的卡其褲她也眼熟得很，那件藍色格紋襯衫還是她送的……

夏琦開了門，仰頭看著高出她許多的大熊玩偶的臉，說不出話來。

而從大熊玩偶頭後探出臉來的，是她朝思暮想的任冬柏。

他……好像瘦了一點，鬍渣多了一些，目光還是一如往常的溫柔，當他這樣看著自己時，她感覺好像被融化了一樣。

她歪著頭，瞇了瞇眼睛，呆望著他，說不出話來。

他走了進來，將大熊玩偶放到旁邊架上，低頭看著她驚訝的表情，她還是一如記憶裡的甜美可愛，但他仍在她的眼底看見淺淺的惆悵。

「夏琦。」他神情輕鬆，淺淺微笑起來。

夏琦忽然感覺心底一陣撼動，剛剛還在想著要跟他說的很多話，此時卻都化成眼淚，她猛地撲進他懷裡，嚎啕大哭。

他順勢擁住她，心疼的拍著她背脊。

她啊，哭得亂七八糟，哭得他心都被揪緊，一瞬間不知道如何開口安慰她。

「對不起，對不起，對不起……我不該懷疑你，你原諒我好不好……我好想你……」她抽抽噎噎的說著，每個字，都印上他心版，教他心都融了。

「沒事了……夏琦，我沒生氣了……」抱緊她，將臉埋進她髮裡，聞到熟悉的

香氣，他輕嘆，這幾天的思念終於得以紓解。
夏琦聽見了，但她哭得停不下來，不知道過了多久，才緩緩的從他懷裡仰首，可憐兮兮的看著他。
「真的？」語氣很不確定。
「真的。」他點頭，眼色堅定。
她吸了吸鼻子。「不氣了？」
他笑了笑，嗯了一聲。「不氣了。」
她這才亮起笑容，哭得紅腫的眼睛跟鼻頭被笑容的光澤點亮，看起來可愛又可憐。
她將臉靠在他胸膛上，聽著他平穩的心跳，感動道：「任冬柏，你真好，肯原諒我……」
聞言，任冬柏感覺很複雜。
他好？要比，他覺得夏琦才好，沒有她的坦率道歉，又怎能教他心軟折服？他就是沒辦法對她真正生氣。
他擁緊她，輕輕說：「傻瓜……」

一直到十二點多了，他們還賴在「向隅」不肯離開，像是為了彌補這些天的思念一樣，他們窩在櫃檯裡的小沙發，你一句我一句的閒聊。

任冬柏搖了搖手上的玩偶，問：「這玩偶有沒有像我？」

夏琦被這突如其來的問題給弄得不知該如何回答，這隻褐色大熊玩偶有豐沛的毛，這麼一看，是有點像留著鬍子的他。

「夏琦，知道我為什麼買這大熊玩偶嗎？」

她搖搖頭。

「為了要出國唸書，我一直想著該怎麼才能跟妳維持感情，我怕妳覺得寂寞，挑了這玩偶代替我，本來要等到妳生日那天再拿給妳，跟妳坦白我要出國唸書的事情，然後跟妳一起想辦法繼續經營遠距離戀愛的。」

他的口氣溫溫淡淡的，雲淡風輕得像訴說一件無關緊要的事情，夏琦聽得心一緊，她咬著唇，這下明白他遲遲不講自己要出國唸書的原因了。

他甚至在部署一些能讓她放心的事物，等一切都準備好了，才肯把事實講出來。

她很感動，想著當初他原來是這樣滿心為她與他們的感情著想，就覺得很感動

很感動，同時，也怨悔著自己誤會他。
任冬柏看見她咬唇，伸出大拇指壓在她唇上，不許她這樣的壞習慣咬破了唇瓣。「而且，我還決定了一件事……」
她眨眨眼睛，疑惑的望著他。
然後，她看見任冬柏從口袋裡拿出了一個小方盒子。
她當然知道那是什麼，也知道那代表的意義是什麼，可是……就如同電影裡演的一樣，當她看見他對她展示出戒指時，她一句話也說不出來，腦袋還有片刻空白。
他一手拿著戒指，一手摸了摸她的臉頰。「我想要娶妳，給妳婚姻的承諾，這樣，妳能放心嗎？妳……」他頓了頓，誠摯的看著她眼睛。「願意嗎？」
夏琦當然願意。
她淚濟濟的點頭，哭得梨花帶雨的臉上漸漸露出微笑。
任冬柏拉起她的手，替她戴上戒指，接著俯首，輕輕吻去她臉頰上的淚水，嚐到鹹鹹的淚水滋味，微熱的溫度熨上他薄唇，他感覺滿足。
她則勾著他的頸項，將他往自己拉近，主動吻上他的唇。

這闊別已久的親吻，讓他們都瘋了。

他們瘋狂的想念彼此，如一把火焰，一旦被點著，就狠狠燃起，他回應她的親吻，舌頭探入她芬芳的嘴裡，補足這些天的思念。

她踮高著腳，攀著他，回應他的吻，他的鼻息溫熱地拂在唇上，她感受到這親暱，這些天來被悔恨啃蝕的心瞬間被融化。

一吻方休，他微喘地看著她，頭抵著她額頭，近距離望著她因為淚水而濕潤的眼睛。

她急急的說：「你認真的？」小手抓緊他手臂，眼色盛滿慌張，傻乎乎的亟欲再確認。

「是。」他笑著，然後收緊雙臂，將她好緊好緊地抱在懷裡。

他要夏琦，只要夏琦。

夜深了，外面其他店面的燈光早已暗下，只剩下昏暗路燈，以及「向隅」留下的燈光。

溫黃的路燈佇立在暗街裡，一如點亮戀人們心底愛情的火焰，溫溫地，照亮戀人的心扉。

他們重新得到彼此，對方都是他們心裡的光……
夏琦讓任冬柏懂得戀愛的快樂，任冬柏讓夏琦不再害怕失戀的回憶。
他們發現，原來愛情是種互補，不是指個性上的，而是情感面的，他們有了對方，因此變得完整了。

✿ ✿ ✿

半年後——
炎夏，蟬聲唧唧，過度活躍的豔陽將柏油路面曬出溫度，熱空氣充斥，狠狠折磨路人。
機場出境大廳裡，任冬柏牽著夏琦的手站在角落，看著穿著白色紗質衫搭配粉紅色短褲的她，甜美得教他想要在這裡狠狠再吻她一遍。
他握著她的手，問：「每天要……」
她笑著搖了搖他的手。「Skype！」
「有空就要……」
「傳簡訊！」

任冬柏疼惜的看著她，揚了揚眉，又問：「再寂寞也不可以……」

「想別人！」

夏琦笑咪咪地，真奇怪喔，任冬柏成功申請上室內設計研究所，今天就要出國去完成學業了，她該很驚慌緊張的，可怎麼心裡很滿，感覺他好像只是要去一趟小旅行？

她伸出雙手擁住他的腰身，將臉靠在他胸膛上，聽見他平穩的心跳，一下又一下的節奏好像也震在她心上，她在他胸膛上嘆息。「我會很想你的。」

他低頭，親了親她的髮。「我也會想妳，等我回來。」

她笑了笑，仰起頭來，亮出左手上亮晶晶的戒指。

「都被你訂下來了，還能不等你嗎？」

任冬柏在出國前特地找了時間去見夏琦的家人，他允諾回國後要將夏琦娶進門，夏新龍質疑他，話說得直接。

「以前也有人這樣說過，結果卻沒做到。」夏新龍看著眼前這高大男人，從他眼裡看見誠懇，但嘴上仍要刁難。

「我會做到的。」他只能這樣說，直直對上夏新龍的眸光，眼色再認真不過。

夏新龍忽然有些折服，同時，想起夏嘉曾向他報告任冬柏的家境與過去，這幾個月來，他們從沒停止過調查任冬柏，但卻沒抓到什麼把柄。

除了幾個月前小倆口吵得亂七八糟的那次，讓大家都誤會任冬柏是要討錢出國去唸書，後來卻發現，任冬柏早準備了一筆出國基金，就算在國外不能吃香喝辣，但也已經足夠。

夏家人不再多說什麼，甚至，心裡早已贊同了，只是他們不敢再像面對夏琦前一段感情的學長一樣，將他視如家人，就怕任冬柏會跟學長一樣恃寵而驕。

但任冬柏不在乎夏家人對他冷淡，只要他們不反對就好，他在乎的是夏琦，而夏琦眼裡只有他，那就夠了。

見完夏家人後，他們花了一週時間出國度假，他又正式補了一次求婚，在最浪漫的藍天白雲、白沙藍海間，對她許下一生一世的諾言。

夏琦不害怕他出國的日子會寂寞，因為他們的心一直連在一起，愛情是這樣豐沛，填滿了他們的心，讓他們沒空再胡思亂想。

他們只是一起期待他回國的那天，一起迎接幸福的未來。

任冬柏低頭吻了吻她的唇，又依依不捨的親了親她的臉頰。「唉，怎麼辦？我

捨不得妳。」

她笑了，摸了摸他的臉，目光裡也是滿滿的捨不得。

他也笑著，與她對視，這目光相接的瞬間，便是永恆，他們把彼此鎖進記憶裡，都有勇氣挑戰遠距離戀愛。

他們什麼都不怕，機場人來人往，有人依依不捨地送機，有人孤身扛多件行李，有人三五成群期待旅程，也有人哭得亂七八糟不許別人離開……

任冬柏跟夏琦也成為機場的一處風景，他們心心相印，笑看彼此，教旁人看了羨慕，好像分開不是那麼難，愛情不會因為分離而轉淡。

因為在他們心中，分開只是暫時，他們期待的不是現在，而是未來。

尾聲

一年後，任冬柏學成歸國。

他回到「當家」室內設計工作室，重新執業的第一個案子就獲得客戶的讚賞，得到了極佳的風評。

接踵而來的案子邀約，也都獲得了超高評價，甚至，有設計裝潢雜誌想邀請他開一個固定專欄，學成歸國的任冬柏立時變為當紅炸子雞。

工作上的事情難不倒他，接下來要處理的是私人感情上的事情。

第一件事，也是唯一的一件事，就是娶夏琦。

「我對婚禮……沒什麼意見耶！」夏琦微微笑，窩在他身旁，懶洋洋的看著電視播報的新聞，她打了個哈欠。

「一點特殊要求也沒有？」他微愣，這下不知道該怎麼辦起了。

女人嘛，他以為都會想要擁有特殊的婚禮，好比說海島婚禮，或者是古堡婚禮，他還在網路上看過有人跑到日本神社結婚，卻沒想到，這個夏琦外表夢幻可愛，竟然對婚禮沒有意見。

「沒有。」她嘿嘿笑。「只要有你跟我就好了。」

她覺得，婚禮的形式不重要。

跟任冬柏分開的這一年，她一樣努力工作生活著，變得更實際了些，若要砸大錢辦婚禮，她還寧願把那些錢留下來，用在去國外度蜜月，以及存起來當生活基金等等。

婚後，她決定搬去跟任冬柏一起住，家人也不反對，而且在聽見任冬柏真要娶她後，終於開始對任冬柏釋出善意，最近每個禮拜，父母都要她帶任冬柏回家吃飯，飯後，夏新龍還會拉著任冬柏進書房，跟他討論工作的事情、詢問他的看法。

「妳真是……」他嘆息，又笑了。「這樣我好像太輕鬆了些，我看別人結婚都有很多要求，而且還可能在籌備婚禮過程中吵架。」

看來，他們不大可能。

她沒意見，他更是對那些粉紅色的夢幻婚禮一點興趣也沒有。

「不要吵架。」她癟了癟嘴，主動吻了吻他的臉頰。「其實我想去公證就好，可是我爸媽說這樣不好，一定要我辦婚禮……」

他揚了揚眉。「公證？不然我們公證跟宴客就好？」

那些迎娶等等的繁文縟節全省略。

她點頭。「我也想這樣，宴客也是簡單一點就好，婚紗照啊什麼的拍最簡單的，你說好不好？」

「我沒意見，但怕妳覺得委屈。」

「不委屈，我還怕你覺得委屈。」

「我？」他指著自己，一臉不解。

夏琦神秘兮兮的笑，說：「你第一次談戀愛就要步入禮堂，你的初次約會、初次牽手、初吻，還有……」她臉一紅，跳過沒說，只是頓了一下，才又開口。「現在要結婚了啊！如果你對婚禮有任何幻想，我可以捨命陪君子！」

捨命陪君子咧！

他哈哈笑，一把抓過她，狠狠吻下去，堵住那愛鬧的嘴，然後將她壓在沙發上，居高臨下的看著她，她被吻過的臉兒紅通通，眼光有些迷離了，他心念一動，

將她攔腰抱起。

她驚呼一聲，連忙伸手勾住他脖子。

任冬柏抱著她往房間走，進入房間後，用腳踢上門，將她拋上床，熱燙且強悍的身體立時疊上她。

她臉很熱，看著身上的他，視線與他糾纏。

任冬柏勾唇一笑，對著她說：「現在，妳也可以捨命陪君子……」

黑暗的房間裡，他們緊擁彼此，狠狠糾纏，外面，是漆黑的夜，寒冷冰涼的夜風透過窗縫，輕吹入屋內，他們啊，不覺冷，偎著彼此體溫，燙著呢！

——全書完

後記

莫妮卡

寫這本稿子的時候，都在聽蕭煌奇的〈只能勇敢〉。跟劇情嘛……其實沒有太大關係的，但這首歌的旋律跟詞，總能帶給我很大的感動。

有了感動，心就柔軟了，坐在電腦前面，逐漸就能專注，然後跟著哼啊哼的，好像也進入男女主角的那個世界——感情豐沛的世界。

我本人呢，不是一個那麼情感外放的人，但這不表示我冷淡，相反的，我還滿熱情待人的，也常能跟一些不是太熟識的人聊上幾句。比如？好吧，比如說：大樓的警衛啦、常買東西的店員、電梯裡初次見面的鄰居……

在對待朋友上，我也是熱絡的，深交一點的朋友生日會送禮，不那麼熟的也會傳封簡訊，現在這年代啊，我還擁有幾個會寄親手寫卡片的朋友……離題了。

總之，就是我雖然熱情，但認識我的人，沒人覺得我會寫愛情故事，我不是那麼喜歡跟人聊私人的感情觀，表面上也不是對於那些探討男女感情的文章與節目那

麼關心，平時的我談及愛情這件事時，甚至是有點冷漠淡然的。

但私底下，可就不一樣了，我其實會偷偷為一點小事感動，有時是片刻的風景，或者無意義的擺飾，都能讓我細想很久，好比說，這本稿子是這樣開始的……

那天，我在翻雜誌，其中一頁介紹最近上市的新品，我瞥見一個小格子裡，是一對漸層紅色的酒杯，瞄了瞄價格，嚇死人，兩個杯子要兩萬多，沒涉獵這方面的我，暗記下酒杯牌子，上網查了下。

原來這牌子還真是有名，同時，也挖掘了不少其他同等級的酒杯，原來，在我不知道的領域裡，這些珍貴的寶物可以輕易賣上天價，也頗有市場呢！

我就開始想，誰會用那麼貴的杯子呢？然後想啊想，竟然就想讓女主角送個酒杯，但這麼貴的杯子任誰也不能隨便收下吧？所以設定男主角不收下，還要跟一般人一樣覺得貴……接著，故事就這樣被勾勒出來了，很隨興，也很突然。

要寫什麼樣的愛情，我沒想過，在寫作這方面，刻劃人物、感情互動、情節安排……我都不是那麼成熟，但我寫的故事，都是從一個生活上的小記憶而來的，對我很有意義，希望看我的書的人能得到共鳴，感謝，也是一定要的。

最後，希望夏天快來，這個冬天太冷了。

自古紅顏多禍水，他如今算是親身驗證了這句話……

齊晏

花蝶系列 1517

《絕代有佳人》 情謎三部曲③

她的容貌雖稱不上傾國傾城，左腿還不良於行，但她卻帶給他平靜溫馨的感受，
然而，失去了仇恨心的他不再輕易受人控制，五鳳君察覺後便將她給送走，
失去她教他徹底陷入瘋狂，想毀滅一切，想把所有背叛他的人全拖進地獄裡！

《橘子說系列》 736 八寶公子．753 浪子那蘭
《花蝶系列》 1095 鬥二爺．1106 耍嬌嬌．1115 奴兒甜．1130 妖兒魅．1138 獨占二郎．1154 糖纏皇十八．1165 痲膩貝勒爺．1195 娘子到口酥．1213 皇叔愛窩窩．1231 不二娘子．1281 臣皇．1293 密后．1317 天王．1344 東妃．1360 引誘．1388 一寸金．1424 萬年歡．1439 感皇恩．1459 聲聲慢．1481 舞夢．1493 問君憐不憐．1502 無物似情濃．1517 絕代有佳人
《采花系列》 794 大清戲王．941 美人遇到虎．982 玲瓏豹．1077 如意香市

最in新作

淘淘

機伶小姑娘、正義大捕頭，因緣際會湊在一起；
她想「改邪歸正」走公家路，
他發誓絕不讓她污了衙門重地，
看來這段鬥智鬥勇鬥心計之戰，
說有多「慘烈」就有多「慘烈」……

花蝶系列 1515

《姑娘辣翻天》

俗話說：男怕入錯行，女怕嫁錯郎，會不會嫁錯她不曉得，
但入錯行倒是十分肯定，師父交代的事，她總是陰錯陽差辦成，
做事不太牢靠，可她也實在無法，誰教她就是沒什麼才能，
比起其他師兄姊弟，她只有見機行事、善觀臉色強了點，
好在這次師父只要她去當護衛，保護大戶人家的小姐，
如此涼差正合她意，但這半路殺出來的洛南城捕頭樊沐云好麻煩啊！
他渾身正氣凜然，性子剛毅，路見不平必定拔刀相助，
他倆應是陽關道與獨木橋，八竿子打不著，偏偏他特別盯著她，
活像她多會惹麻煩，真是大人冤枉哪～～她只是奉命行事，
誰知事又生事，他們不得不兜在一起，也不是她的錯啊……

在這個亂世之中——
英雄不能多情，多情便要牽絆，牽絆折損豪情壯志、傷及大業；
美人不能柔弱，柔弱便是有心勾引，勾引織造的溫柔鄉，留不住真英雄……

果樹出版社　台北市中山區104龍江路71巷15號　網址：love.doghouse.com
郵撥帳號：19341370　電話：(02)2776-5889　傳真：(02)2771-2568

虧他長得人模人樣的，想不到卻矢口否認有婚約，
嘖，這般無賴的行徑，真是太令人失望了！

朱映徽

橘子說 990

《娘子找錯碴》

楚仲天雖然生於富貴之家，但是對於經商沒半點興趣，
因此，他索性就將家業讓給弟弟去接掌，自己則和好友開了間鏢局。
某日，在運完鏢回程的途中，一行鏢師在山林中遇匪，
本來憑他的身手，要將這些盜匪抓進官府裡並非難事，
怎知，狡猾的賊人竟抓了個正巧路過的姑娘當人質！
正當他擔心人質的安危時，想不到那名姑娘居然會武功，
她三兩下便將擄住她的匪徒擺平，讓他讚賞不已，也暗暗地心動。
幾日後，兩人再度見面，但這令他心動的杜念晴並非要託鏢，
出乎他意料，她說是為了名姑娘而上門來向他討公道的！
她痛罵他是背棄婚約的負心漢，但問題是……他何時有了婚約？
偏偏她手中所持的信物確實是他楚家所有，這究竟怎麼回事？
由於雙親早逝，他決定去找當年娘身邊的貼身丫鬟，問清楚情況，
這一路上雖有她同行，無奈因著婚約一事，她始終不給他好臉色看，
然而，他卻愈來愈喜歡她了，甚至想要將她娶回家當妻子，
唉唉，倘若爹娘真在多年前為他訂過親事，屆時可怎麼辦才好？

朱映徽作品集

《橘子說系列》 768 魅狼・774 鷹主・783 惡霸當家・791 小奴馴主・795 心機小娘子・800 壞壞大丈夫・812 鬥蠻王・816 戲閻王・823 夫君請認栽・828 娘子請入甕・836 逞英雄・846 嫁禍水・852 冒牌俏神醫・856 烏龍嬌神算・868 謎皇・871 頑妃・877 月老繫冤家・883 紅娘點錯譜・888 小叛徒・893 偽君子・898 福妻從天降・906 拐個如意郎・914 娘子偷香・926 惡郎勾心・936 霸王求歡・943 頑奴戲主・947 馴驕奴・952 逆狂君・958 獨享美人香・965 霸占浪子心・977醉嬌娃・982蠻當家・990娘子找錯碴
《花蝶系列》 1486風流債主
《采花系列》 872 娘子犯桃花・903 登徒子・978 爺兒饒命・997 征夫・1064 玉人兒

果樹出版社　台北市中山區104龍江路71巷15號　網址：love.doghouse.com.tw
郵撥帳號：19341370　電話：(02)2776-5889　傳真：(02)2771-2568

季葒

愛情常勝軍

追妻要膽大心細臉皮厚，一旦愛上了絕不放過！
死纏爛打、體貼溫柔再加上使點小計謀，
定要讓妳乖乖束手就擒～～

橘子說 989

《老婆手到擒來》

看不過慘遭未婚妻劈腿的上司意志消沈、借酒澆愁，
身為秘書的溫小霞自告奮勇照顧他，聽他吐露失戀痛苦心聲，
沒想到他卻突然跟她告白，還直接向她求婚?!
她一向自認務實，從不作飛上枝頭當鳳凰的美夢，
但他的真誠和愛意讓她怦然心動，臣服於他的情網裡，
而他霸道熱燙的吻則讓她深深著迷，無法抗拒……
於是她憑著幾分衝動、懷抱幾分期待，對他點頭說我願意！
盧南濬心中有個秘密，就是他暗戀自己的秘書五年了，
她啊！工作表現細膩完美，但私底下的個性卻有點迷糊。
得知她男友只是拿她當煙幕彈，一直在利用純真的她，
這讓他是又氣又心疼，怎能不使計把她搶過來好好保護！
然而好不容易拐她回家做老婆，狀況卻有點小尷尬……
只因抱孫心切的母親讓她壓力好大，氣得將他留校察看，
既然不讓他吻她抱她，他只能使出纏功逼嬌妻投降！

4月橘子說，季葒告訴妳：

看著他會臉紅、會心悸，這就是愛情來了……

季葒作品集

《橘子說系列》785 愛情一回生二回熟．960 聖誕奇遇．966 大小姐的反擊．978 大律師的叛逆．989 老婆手到擒來
《花 蝶 系 列》1431 千金真敢愛．1437 秘書越過界．1444 非愛勿擾．1455 犀利前夫．1460 心機前妻．1475 情定A咖男．1482 愛讓天氣晴．1488 情來運轉
《采 花 系 列》837 愛人不老實．856 狂愛妳．873 秘書愛人．896 愛無反顧

狗屋出版社 台北市104龍江路71巷15號 網址：love.doghouse.com.tw
電話：(02)2776-5889 傳真：(02)2771-2568 總經銷◎知遠文化 電話：(02)2664-8800

【愛情停看聽】

女孩請注意！
壞男人像火，別惹火上身，
好男人如罌粟，小心上癮。
愛情東挑西選仔細秤量，
嫌貨才是買貨人，
付出真心才能抱得好男歸～～

4/15 上市！

319 壞男人再見 ◎ 溫芯
320 好男人的詭計 ◎ 夏喬恩
321 寵妻大男人 ◎ 艾蜜莉
322 大男人的小浪漫 ◎ 雷恩那

2012龍年搶先報，PUPPY宗有囍事！

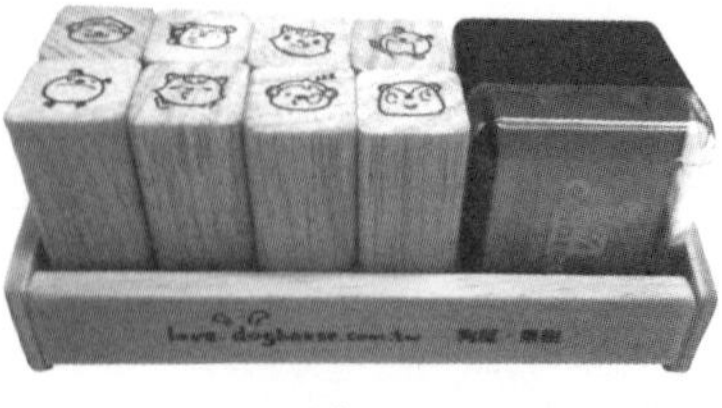

囍事1
2012年起puppy每月中旬出書4本，
浪漫愛情新鮮一百就在萊爾富～～

囍事2
puppy百年成家活動即將開始，
狗屋家族木質印章組好禮相送！

2012年1～4月，凡在萊爾富買puppy307～322(賀歲檔好書共16本)，
每本書中皆附有截角印花，剪下任**7枚截角**，
於2012/**06/30**前附回郵30元寄至狗屋出版社，
你就會收到可愛又實用的狗屋家族木質印章組(市價100元)，
送完為止，兌換請早～～

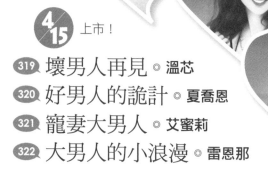